GOLDONI

La Locandiera

EDITED BY

JOSEPH G. FUCILLA

AND

ELTON HOCKING

Henry Holt and Company

Goldoni

Written by Robert Browning for the album of the committee of the Goldoni Monument which was erected in Venice in 1883.

Goldoni — good, gay, sunniest of souls, —
  Glassing half Venice in that verse of thine, —
  What though it just reflect the shade and shine
  Of common life, nor render, as it rolls,
Grandeur and gloom? Sufficient for thy shoals
  Was Carnival; Parini's depths enshrine
  Secrets unsuited to that opaline
  Surface of things which laughs along thy scrolls.

There throng the people; how they come and go,
  Lisp the soft language, flaunt the bright garb, — see, —
  On Piazza, Calle, under Portico
And over Bridge! Dear king of Comedy,
  Be honoured! thou didst love Venice so, —
  Venice, and we who love her, all love thee!

PREFACE

The recognized excellence of this lively comedy has perhaps obscured the fact that its vocabulary is smaller than that of most of our simplified first readers. Here, then, is a rare combination: an authentic masterpiece of Italian comedy, no less entertaining in itself than important in literary history, whose original text[1] is so wholesome in its humor, and so simple in its expression, that it is suitable for beginners in high school as well as in college.

This edition offers the following features devised for first-year students:

PRONUNCIATION is indicated throughout text, exercises, and vocabulary. We believe that, for beginners, pronunciation cannot be divorced from reading (even "silent reading"), and that it is imperative that the student's first impression be the correct one. And a sprightly comedy like this one, which lends itself so readily to dramatization and other oral exercises, is the natural means for impressing and developing those first impressions into correct *habits* of pronunciation.

NOTES are placed at the foot of each page. They are devised to supply all the help needed by a first-year student. They also include infrequent vocabulary items (words which are used only once or twice in the text), and these words are avoided in the exercises. A few expressions not found in current Tuscan are paraphrased, and these are likewise avoided in the exercises.

---

[1] In the absence of a definitive edition, we have considered as basic the text given in *Opere complete di Carlo Goldoni, edite dal municipio di Venezia nel II centenario dalla nascita*, Venezia, MDCCCCVII *et seq.* The other authoritative editions have also been consulted.

The original text is reproduced unmodified except for the adoption of present-day usage in punctuation, *i* for *j*, and the placing of specific stage directions before, rather than after, the speech in question. The episodes involving Ortensia and Deianira are here included for the first

EXERCISES are extremely full, varied, and, to some degree, novel (note "word-study" exercises on pp. 148–181 *passim*). All are subdivided so that the instructor may pick and choose from them. Each group is based on a specific assignment, at first very short, then gradually increasing in length. The exercises are largely for oral drill, so pronunciation is indicated throughout. Those which deal with grammatical constructions are carefully graded in scope: the first few groups deal only with those points generally found in the first lessons of the standard Grammars, whose progression is then followed throughout the subsequent exercises.

VOCABULARY lists regular subjunctives, as well as all irregular verb forms, and is complete, save for words which occur only once or twice in the text and are footnoted there. No word required by the exercises is omitted from the Vocabulary. Pronunciation is indicated throughout, and Petrocchi's *Nòvo dizionario universale della lingua italiana* (Trèves, Milano, 1931), has been taken as authority. Forms or words which disagree with current Tuscan usage are followed by present-day equivalents in brackets.

INTRODUCTION makes no claim to erudition, but is written for young students. It would be poor taste, as well as poor tactics, to introduce youngsters to Carlo Goldoni in an atmosphere of loftiness and solemnity. Their meeting should lead naturally to friendship and affection. May our simple Introduction pave the way!

J. G. F.
E. H.

NORTHWESTERN UNIVERSITY
EVANSTON, ILLINOIS
January, 1939

---

time in an American edition. Their exclusion from the majority of Italian stage versions until recently seems to have been less a matter of artistry than of the *prima donna* temperament and box-office economy: with these two girls ruled out, the leading lady becomes the only lady in the cast. Proper motivation for some of the scenes, as well as deference to the author's text, required us to include these episodes. In doing so we have followed the general practice of the recent Italian editions.

CONTENTS

INTRODUCTION

Goldoni, whose name is synonymous with the best in Italian comedy, is highly representative also of the best qualities of the Italian people. Tolerant, genial and quick to see the humorous side of every situation, — these are his most obvious traits; yet his sunny disposition did not prevent him from appreciating the more serious aspects of life, or from presenting them in proper perspective. If his comedies are light and gay, it is frequently by contrast with more sombre colors in the background; if the emphasis is on the humorous, rather than the ugly side of social problems, it is the clear reflection of the author's worldly wisdom. His early comedies show us that he did not need to live eighty-six years to become wise, and his *Mémoires*, written in old age, prove that all the ups and downs of his self-reliant, hurly-burly life could not disturb his essential poise, or alter the merriness of his kindly nature.

Born at Venice in 1707, Carlo Goldoni was destined to remain, in spite of his wanderings and reverses, a true son of that gay and lusty city-state. Proud Venice was then the only Italian city remaining free from outer rule, and freedom, not to say license, was the life-blood in her veins. Here amid the bustle of maritime commerce, the medieval pageantry of Doge and Councillors, the spectacular festivals of Church or civic holidays, climaxed by Carnival — here Goldoni spent his boyhood days, an eager student of this happy life.

His family, he tells us, had considerable wealth, which was rapidly squandered while he was still a child. An example of this indulgence is the gift of a complete puppet show to the boy when he was four years old. There is no question of his ability to use it, however, for at that age he was even able to read and write. For years he read widely and with little guidance in his free hours, preferably the comedies he found in his father's library.

He was only eleven when he wrote a comedy, which was admired by the circle of family and friends. When it was read by his father, a physician then practicing in Perugia, he was so pleased that the boy was sent for. Carlo's mother soon followed to Perugia, where the boy was sent to school to study for his father's profession. But Dr. Goldoni had no great success as a physician, and in his efforts to better his position he moved frequently from city to city. The lack of any settled home life, combined with the father's over-indulgence of his talented son, probably contributed to the young man's instability and rash escapades. In addition, he was only slightly interested in medicine and law, which for some years he studied alternately. His two weaknesses were pretty actresses and the stage; as a youth he was their slave, but later he made them serve him admirably. The greatest Italian comedies are Goldoni's, and some of the greatest actresses of that time, and later, were "made" by their rôles in these plays.

At fourteen, Goldoni had run away from school to follow a troupe of strolling actors; at eighteen he was expelled from law school for writing a brilliant but scurrilous satire of prominent families in the city. His father did not despair at these and other escapades; indeed he showed much good sense when, for example, his "problem child" was seized with sudden religious fervor, and announced he would become a monk. Dr. Goldoni promptly took his son to Venice, where two weeks of theatre-going made the cloister lose its appeal. Then followed more wanderings, adventures and misadventures, interspersed with sporadic service as a legal clerk, during which he learned more of society, both high and low, than of law. These happy-go-lucky years of aimless incident and accident, when Goldoni followed only the caprice of the moment — or of the moment's *innamorata* — would make us suspect a lack of active character and will, were it not that his later years showed real firmness, and a broad understanding of human nature, observed and retained by the keen mind of the apparently passive youth. Like the Gil Blas of Lesage, whose career is so similar, young Goldoni first submitted to life, rather than living it; his failings were not vices but vicissitudes; he gradually came to know them, and life itself, for what they really were; and finally he dominated them, and portrayed them with such truth and naturalness that all who read may profit and enjoy.

The first profoundly sobering influence — the death of his father — occurred when Carlo Goldoni was twenty-three. Combined with the pleas of his mother and relatives, it induced him to resume seriously the study of law, despite his abiding distaste for it. At Padua, the fourth University to enroll him as a law student, he prepared and passed his examination for the law degree, then returned to his mother at Venice, resolved to support her by the practice of law. Like most young lawyers, however, he had much free time on his hands, which he turned to the practice of his old love, verse. But letters were as yet a mere avocation, and since legal clients were lacking, he resumed his travels, wandering for months in the war-torn areas of northern Italy. Between disappointments of an amorous sort (for he was still an easy prey for adventuresses), he was a courtier, a diplomat, sometimes a mere penniless vagabond, but always an aspiring dramatic author, with a couple of his prized *libretti* which he read to anyone who would listen.

Good luck finally turned up in the discerning person of Giuseppe Imer, a theatrical manager who pronounced Goldoni's latest play so good that its author was promptly commissioned as regular playwright for the troupe. This arrangement, which continued for nine years, was the beginning of Goldoni's life work as a dramatist. It is amazing to reflect that this man, a born playwright if there ever was one, was nevertheless twenty-seven years old before he stumbled into his fated field, after years of wanderings and misdirected efforts.

Even yet, however, the exact nature of his vocation was not clear to him, although to us it seems that the brilliant success of his first comedies should have shown him the way. But these were few in comparison with the tragedies, tragi-comedies, operas, interludes and occasional verse which comprised the bulk of his early work. For ten years after his meeting with Imer, he seemed to be groping his way, and this uncertainty was reflected by his engaging in other activities: a political office at Venice, ill-starred financial operations, more wanderings through the warring Northern cities, another fling at the practice of law, and again, or still, affairs of the heart with pretty soubrettes. But stability, professional and domestic, gradually increased after his meeting with Imer and after the other capital event of his life, — his marriage, at the age of twenty-nine, to a charming girl who remained, to the end of his long life, a model of devotion and sympathetic understanding. Thanks to her stabilizing influence and to his own developing sense of his true vocation, he finally turned resolutely to the stage, burned all his bridges behind him, and signed a contract with another Venetian troupe, as full-time professional playwright. This was in 1747.

Thus "life began at forty" for a purposeful, aggressive playwright named Carlo Goldoni. When success aroused attacks by envious competitors, he struck back vigorously, like Molière before him in France, and these counter-attacks make it very clear that Goldoni was attempting nothing less than a thorough reform of traditional Italian comedy, in the name of naturalness, simplicity and decency. To understand why he found it necessary to fight for these presumably common virtues, we must have a look at the situation as he found it.

The Improvised Comedy

The brilliance of the Italian Renaissance should not blind us to the fact that the drama of that time was far from brilliant. Comedy, especially, remained a servile imitation of the Latin imitations of the Greek. Needless to say, such pedantic efforts gained no wide popularity. The common people, however, who knew nothing of Latin or Greek, but knew a good joke when they heard one, continued to applaud the jests and pranks of clowns at festivals and market places, and to drop in a coin when the hat was passed. To the clowns were added droll story-tellers who acted out their pieces, and invented the dialog as the skit progressed. As popularity increased the show was lengthened, more characters were used, plots became complicated, and the "side-show" thus became a theatre in its own right, divorced from market place or festival. Its participants became professional actors, specialized to such a degree that each always took the same part, regardless of what comedy he might be playing in. The same actor of each company always took the rôle of the inevitable Pulcinella (Punch); another invariably played the part of Arlecchino (Harlequin), and so on. And in every play Pulcinella wore the same costume and mask, and was always the same roguish and sharp-tongued prankster; Arlecchino likewise had his conventional costume, and was invariably a gluttonous, gullible and happy rascal. And so it went for most of the characters of the *commedia dell'arte*, the Italian name which is translated as "Improvised Comedy." "Improvised" because each actor made up his lines as he went along, and only a bare outline or *scenario* of the plot was written and posted in advance. "Improvised type-comedy" is perhaps a better descriptive name. The type-characters, and not the plot, were the important thing, and their success depended on their ingenuity in spontaneous dialog and impromptu horse-play.

Nothing quite similar is known to us to-day. Our early film

comedies relied much on impromptu stage-business or "hokum," and often used constant types like the pathetic little tramp of Charlie Chaplin. More nearly like the Italian types are Mickey Mouse, Donald Duck, and their friends. Here sound effects reinforce the conventionality of the characters; each is always true to form; plot is of only secondary importance; and spontaneity (or its perfect illusion) reigns supreme. Similarly, we know what to expect from each character when we go to see a film of Popeye the Sailor. He is always the sailor; he always looks the same, talks the same, and acts like nobody but Popeye. If he changed in these respects we should lose interest in him. Just try to imagine Popeye without his pipe and bulging biceps, or Groucho Marx without his mustache and cigar!

The characters of the Improvised Comedy likewise were types, but they lacked a staff of "gag men" to supply amusing lines. Spontaneous originality is difficult; it was easier when repeated applause had proved a "sure-fire" line or speech, to memorize this *zibaldone* for future use. Gradually, as the same comedies were repeated and the years passed by, whole scenes were memorized, until at length entire plays were written out, except for the *lazzi* (cf. pp. 31, 41), brief interruptions by clowns, whose words and antics continued to be impromptu. But in the course of the two hundred years during which the Improvised Comedy was thriving, even the *lazzi* tended to become mere repetitions of stale jokes. The actions of the other characters likewise became habitual and traditional, and it should be remembered that, in good drama, actions speak louder than words. When both became mere worn-out repetition, the Improvised Comedy was in a bad way indeed; it was no longer improvised, and scarcely even comic, except sometimes in a cheap and vulgar way. The actors, realizing that their performance was monotonous, turned more and more to that last resource of despairing mediocrity — suggestiveness or mere obscenity. Personal allusions, too, directed at individuals prominent in political or social life, further lowered the standard of what had once been a lively form of native art. The continued use of masks, at best a rather dubious device to intensify characterization, became finally a mere disguise for the speaker of obscene and blasphemous words, and a deterrent to good acting, for facial expressions were thus concealed. In the decadence of the *commedia dell'arte* the comedian's actions, as well as his features, were as wooden as those of "Charlie McCarthy," and the memorized speeches were far less entertaining than those of their impudent descendant. It is not without significance that the characters of the Improvised Comedy are generally known to-day only in the form of puppets.

Goldoni's Reforms

When still a boy Goldoni's reading had taught him that Italian comedy was backward, in comparison with that of other countries, and he had longed to do something about it. His early works, however, give no hint of any program of reform, and of course he then lacked the reputation and popular following which a reformer must have. It is probable that his ambitious program developed with his popular success.

His earliest comedies show only one real improvement over the work of his contemporaries, and this was his resolute exclusion of obscenity. It was a notable improvement, indicative of superior ability as well as of the firm good taste which Goldoni always showed in such matters, but still his productions were Improvised Comedy.

The next step was to get rid of improvisation of both kinds: impromptu dialog, and unpredictable horse-play by clowns whose interruptions had no connection with the plot. The clowning could be eliminated as soon as the play itself became interesting enough to need no artificial stimulants; "the play's the thing," and if it is good enough, the clowns will not be missed.

Goldoni therefore set about the primary task of making the actors memorize written rôles, instead of saying whatever they pleased when the moment came. This was a revolutionary change, resisted by actors and audience alike; by actors, because it restricted their chances to shine in the center of the stage, and because they disliked the effort of memorizing; by audience, because all change is painful to the public, and it loved the familiar set speeches (*zibaldoni*). Nothing is harder than to make innovations accepted by the public, which always insists that it "knows what it wants," when in truth it merely wants what it knows.

Because of this resistance our author had to make changes very gradually. He could introduce merely one or two memorized rôles in a new play, and let the other actors improvise their parts. Or he could take an improvised comedy of proved success, and substitute memorized rôles when popular demand justified a revival of the play. As resistance was gradually broken down, his new plays could have more memorized parts, but it was several years before he dared to present a comedy with no improvisation at its first performance.

This was an important step forward, and yet it was only a preliminary. Pulcinella and company were still the characters of every comedy, and, as long as they remained, the best that Goldoni could do was to write a superior form of the traditional comedy. He could not write out a modern, distinctive rôle, and then have it played by Pulcinella; that would be like putting the words of Hamlet in the mouth of Groucho Marx! Somehow he must banish the old type-characters from the stage.

To do this he moved gradually again. One by one, in comedy after comedy, the old characters were replaced by original creations of the author. Seven years after he had completely eliminated improvisation he produced his first comedy with none of the "old friends" in the cast. This was in 1750, and for practical purposes we may consider this date to mark the end of the Improvised Comedy. Of course it did not end abruptly here; such comedies continued to be produced, in dwindling numbers, for the next thirty years. But 1750 was the beginning of the end.

With type-characters and improvisation both removed, Goldoni was at last free to indulge his true creative powers. Not that he was never creative before 1750; he had done what he could to put new wine into the old skins of Pantalone, Il Dottore, and the rest. But it had been in truth a hopeless task, for the more original the thoughts and words he gave to a mask-actor, the more incongruous they seemed, in contrast to the costume and the mask. As long as these remained, they formed a veritable disguise — almost a strait-jacket — for Goldoni's greatest creations: individual living characters, keenly observed and firmly depicted. From his experience with the Improvised Comedy he retained certain definite qualities: liveliness and simplicity of action, and a sure mastery of technical stagecraft. But these served only to heighten his own gift of observing and portraying his fellow men so convincingly that it is not enough to say that "they come to life upon the stage"; they *are* life, and the stage seems to vanish. This power is hard to understand in the abstract; we can better appreciate it by turning to a specific play.

La Locandiera

Goldoni's superiority in characterization is immediately evident by contrast with what preceded him. For example, Pantalone the Venetian Merchant is not merely a merchant, but The Merchant, representing certain characteristics as unvarying as those of Santa Claus. He is a lean old man who shuffles along in slippers, wearing his mask and familiar costume all in red, save for the black skull-cap and cape; he is honest but easy-going, sentimental and gullible, doting on his pretty daughter who wheedles and cajoles him, and whose hand is the prize about which the plot revolves. And so he is in every Improvised Comedy.

In *La Locandiera*, Mirandolina happens to be proprietor of an inn, but it does not occur to us to think of her as a representative of the hotel business. She is simply a young woman such as all of us have met, alone in the world since the death of her parents, making a living by operating the inn (or *locanda*) which her father had owned before her. This young business woman, pretty, self-reliant and quick-witted, is thoroughly honest in the legal sense of the word, but she is not above using her charms to bring trade to her inn, and gifts to herself. Fully confident in her own attractiveness, she is inwardly disdainful of her suitors, but she smiles upon them all, for "this brings business to my inn." This system works very well for a while, and she is convinced that business is the career for her, not marriage. But a confirmed and boastful "woman-hater" happens into the inn one day, in the form of a handsome young nobleman. Mirandolina determines to teach him a lesson, and events then become fast and furious, with a conclusion that may surprise you.

Mirandolina, then, is a combination of "common sense" (not always common!), the "business girl," the pretty coquette, and even the "gold-digger." But above all, she is a person in her own right, and no standardized rôle of the Improvised Comedy would fit her. It was in order to present individuals like her that Goldoni abandoned the conventional comedy of his day. He was not trying to be "different" or "modern," but simply to be true to the nature of the people and the life he saw around him. He succeeded, and is therefore called a *naturalist* among writers of comedy.

Although he portrayed the life and the people he saw about him, he paid little attention to the immediate details which

would serve to mark the play as distinctively Italian,[1] or to
date it with the events and concerns of the eighteenth century.
What interest do we have in Australia's elections, or in last
week's newspaper? But a fascinating personality is fascinating in any country, and human problems are the same in all
ages, since human nature changes little, if at all. There are
always "woman-haters," and coquettes to work their down-
fall. There are always some newly-rich to taunt impoverished
aristocrats. And so, with such timeless characters and problems, Goldoni wrote a comedy which is far more "modern"
to us than the "smash hits" of a few years ago. (Can you
even remember their names?) *La Locandiera* is nearly two
hundred years old, but it is still performed frequently in Italy,
and even in other countries. If it remains popular to-day, it is
because its author understood people so well, and could re-
create them on the stage so perfectly that we too understand
and enjoy them. Such works of literature are called *universal*,
for they appeal directly to readers of all times and all places.

Goldoni's Later Life and Works

La Locandiera was produced midway in Goldoni's fourteen-
year sojourn at Venice, when he was at the height of his
activity and popularity. This activity was amazing, for in
those fourteen years he wrote a good hundred plays, including
his masterpieces. His popularity had about reached its crest
when our play was produced (1753), becoming so great that
it soon aroused jealous rivalries. He was plagiarized, ridiculed
and defamed, and the bad faith of his enemies is evident from
the fact that they accused his works of immorality and obscenity, — the very last faults with which Goldoni can be
charged. Jealousy and prejudice were the real motives of his
enemies, and the prejudice was not merely literary. Goldoni

---

[1] *You Can't Take It With You* was a delirious success in America, and
a flat failure in England.

had boldly reformed the 200-year-old comedy which was distinctively Italian, therefore he was denounced as a radical by his ultra-conservative opponents. They injected patriotism and politics into the campaign, and tried to make it seem that one could not be a loyal Italian and still admire Goldoni's works. It is true that he had been praised by Voltaire, and that his new comedy was more like the modern French than the old Italian variety. But if Molière had modernized and humanized French comedy, reasoned Goldoni, why should he not do the same for Italian comedy? Yet the fickle public was gradually won over by his opponents.

Just when his situation seemed desperate Goldoni was offered a two year contract as playwright for the Italian troupe in Paris. They had been there since the days of Molière, but their fortunes were now waning, and they hoped that Goldoni's genius would fill the empty seats of their theatre. To him the offer was doubly welcome: it represented financial security, and also it proved that his ability was recognized abroad, if not at home. So at the age of fifty-five Goldoni and his wife set out for Paris, to start life over in a foreign land.

It proved to be starting over in more ways than one, for the Paris troupe then wanted nothing but Improvised Comedy, and their attempts to play written comedy were half-hearted and unsuccessful. Time was pressing, for their treasury was empty, so after a few failures Goldoni resigned himself to the situation, and began providing improvised comedies. Regardless of their success, he "seldom went to see them," he tells us, because "I liked good comedy, and I went to the Théâtre-Français." Evidently his heart was not in his work, and it is not surprising that few of these improvised comedies were successful. More important than his attitude was the fact that the Improvised Comedy had outlived its day in Paris. It was certain to lose in competition with other theatres, and so Goldoni was relieved, when his contract expired, to take a position as tutor in Italian to the daughters of King Louis XV.

For seventeen years he held this post which, although modestly and irregularly paid, gave him *entrée* to high society, and leisure for his own amusements. He wrote very little during these years, but one great success was reserved for him. His admiration for the Comédie-Française, which represented his ideal of the theatre, made him long to be acclaimed there, in vindication of his defeat at Venice and again at Paris. At the age of sixty-four he wrote in French *Le Bourru bienfaisant*,[1] and its first performance at the Comédie-Française was a popular triumph, at the conclusion of which Goldoni was called to the stage, and received an ovation. The next day there was a "command performance" at Fontainebleau, when the author was presented to Louis XV and the royal family.

Le Bourru bienfaisant is no great masterpiece, but it was quite worthy of the Comédie, where it remained in the repertory for nearly a century. Most of all, it was a personal triumph for Goldoni. Only nine years earlier, when well along in life, he had come to France with a very imperfect knowledge of the language. To tempt fate by writing a play in French was indeed bold. But he succeeded very well, and the satisfaction must have been great as he looked back.

He had plenty of time to look back, for he lived twenty-two more years, most of them in quiet retirement in Paris, thanks to a modest pension from the French government. Almost his only production during this time was his *Mémoires* (in French), a rambling and chatty autobiography which is delightful reading in its early parts. He made a few calls, notably on Rousseau and Voltaire upon their visits to Paris, but for the most part he attended the theatre, read, walked and supped with a

---

[1] Usually translated "The Beneficent Bear," meaning a gruff but kind-hearted person. The late Theodore Roberts often played such rôles, notably in *Grumpy*.

few old cronies, and dozed in his chair, well cared for by good Nicoletta. This peaceful old age is in striking contrast to the approaching Revolution about him, to which he makes no reference in his *Mémoires*. During the Reign of Terror, on February 7, 1793, the Revolutionary government voted to restore payments of his annuity, which had been suspended for several months. They did not know that he had quietly died at his home the day before.

Two hundred and sixty dramatic pieces of all kinds — an average of eight or nine for each of his productive years — were far too many for a high level of quality to be maintained. Sometimes, however, the combination of a familiar subject with a new inspiration made speed of composition a real advantage; some of his finest plays were thus struck off at white heat, benefiting in spontaneity and naturalness. Much of his superior work was written in the Venetian dialect, but *La Locandiera* is a good example in Tuscan, and there are others.

Goldoni's humor does not glitter with the flash of studied "wise-cracks"; its light is never clouded with off-color suggestiveness; it is the steady glow of human character, heightened and reflected — as if in mirrors — by the surrounding circumstances. There are no hilarious characters in *La Locandiera*, and no jokes or pranks; all have a serious purpose to pursue, and yet, being what they are and where they are, they provide unfailing amusement to the spectator.

Comedy of character is therefore Goldoni's forte, and so it is inevitable that he should be compared to Molière. The comparison is the more natural because Molière had also reformed the Improvised Comedy, then flourishing in France, refining and transforming its baser elements. "The Molière of Italy" is the trite and pretentious title which has been tagged to Goldoni's name. Originally it was meant as a compliment, no doubt, but it invites a comparison which the modest Goldoni himself would have been the first to disclaim. Molière was an inspiration and an ideal to him, as his *Mémoires* clearly show, and his comedies often pay him the compliment of imitation. Goldoni knew full well that there can be no second Molière, for the simple reason that the greatest geniuses are, by that very fact, unique and incomparable.

Let us put aside the comparison suggested by the term "Molière of Italy." *Gran Goldoni* is his countrymen's designation, and sometimes *papa Goldoni*. This mingling of admiration and familiar affection gives us the true key. The shrewd and keen, yet tolerant observer, saw much of life, and saw it in perspective. Defeated or triumphant, he kept his balance, and gave back to life better than it gave to him. Although he had some enemies he never *made* enemies, and his usual retort to an insult was a smile. His smile was not disdainful or merely innocent; it was the expression of his worldly-wise indulgence, a modest disposition not to judge his fellow-men, but to give them the benefit of the doubt. Who shall say that he was wrong? "In this life one must learn to be something of a dupe, not only to be happy, but to be just."

In Goldoni's best comedies we find no bitter satire, no answer to the problems of the world. But here, at grips with problems great and small, is a little world of living human beings. By the author's piercing scrutiny they stand revealed, as if by the brilliant Italian sunlight, which might seem a trifle harsh if it were not mellowed by that merry Italian smile.

A Selective Bibliography in English [1]

A. GOLDONI AND HIS WORKS

Alexander, B. "Carlo Goldoni and his works." *Living age*, CCCXX, 1924, 323–27.

Chatfield-Taylor, H. C. *Goldoni: a biography*. New York, 1913. (*A basic work on the subject*)

—, —. "Goldoni and Molière." *Drama*, IV, 1911, 149–68.

—, —. "Goldoni's Venetian naturalism." *Drama*, IV, 1911, 178–214.

D'Amico, S. "Shakespeare and Goldoni festival in Venice." *Theatre arts monthly*, XVIII, 1934, 849–59.

Dole, N. H. *Teacher of Dante*. New York, 1908, 243–98.

Everett, W. *Italian poetry since Dante*. New York, 1904, 169–76.

Goldoni, C. *Memoirs*. New York, 1926.

Howells, W. D. "Goldoni." *Atlantic monthly*, XL, 1877, 601–13.

Kennard, J. S. *Goldoni and the Venice of his time*. New York, 1920.

—, —. *The Italian theatre*. New York, 1932. 2 vol.

Lee, Vernon (Paget, Violet). *Studies of the eighteenth century in Italy*. London, 1887, 1907.

Lemmi, C. "Papa Goldoni and his Venetian comedies." *Drama*, XV, 1914, 323–44.

McKenzie, K. "Francesco Griselini and his relation to Goldoni and Molière." *Modern philology*, XIV, 1916, 145–55.

McLeod, A. *Plays and players in modern Italy*. London, 1912.

Monnier, P. *Venice in the eighteenth century*. London, 1910.

---

[1] This bibliography, as well as our introduction, is primarily for the student. Instructors can, of course, find a great deal of useful material in A. della Torre. *Saggio di una bibliografia delle opere intorno a Carlo Goldoni*. Firenze, 1908; F. C. L. van Steenderen's "Appendices" in Chatfield-Taylor's *Goldoni* . . . (1913); Prof. Prezzolini's *Repertorio bibliografico* . . . Roma, 1937, vol. I.; in *Italica* for March 1938, pp. 10–11; and the "Note storiche" in the *Opere complete di Carlo Goldoni edite dal municipio di Venezia* . . . Venezia, 1907 sq.

Petsch, R. "A jest of Goldoni's in Goethe's *Faust.*" *Modern language review*, VII, 1912, 100–101.

Samuel, A. M. *The Mancroft essays.* London, 1923, 225–28.

Starkie, W. "Carlo Goldoni and the *Commedia dell'arte.*" *Proceedings of the Royal Irish academy*, XXXVIII, Sec. C., 1925.

Van Steenderen, F. C. L. *Goldoni on playwriting.* New York, 1919.

B. THE COMMEDIA DELL'ARTE

Kennard, J. S. *Masks and marionettes.* New York, 1935.

Lea, K. M. *Italian popular comedy.* Oxford, 1934.

Sand, M. *The history of the harliquinade.* London, 1915. 2 vols.

Smith, W. *The Commedia dell'arte.* New York, 1912.

CARLO GOLDONI

LA LOCANDIERA

PERSONAGGI

IL CAVALIƐRE DI RIPAFRATTA
IL MARCHESƐ DI FORLIPƆPOLI
IL CONTE D'ALBAFIORITA
MIRANDOLINA, locandiƐra
ORTƐNSIA ⎱
DEIANIRA ⎰ cɔmiche
FABR*I*ZIO, cameriƐre di locanda
SERVITORE del CavaliƐre
SERVITORE del Conte

*La scƐna si rappresƐnta in FirƐnze
nella locanda di Mirandolina.*

NOTE

All indications of pronunciation and accentuation used throughout this work are based upon Petrocchi's *Nòvo Dizionàrio Universale della Lingua Italiana* (Trèves, Milano, 1931).

ATTO PRIMO

SCENA PRIMA

Sala di locanda.

Il Marchese di Forlipopoli, ed il Conte d'Albafiorita.

Mar. Fra voi e me vi è qualche differenza.

Con. Sulla locanda * tanto vale il vostro denaro, quanto vale il mio.

Mar. Ma se la locandiera usa a me delle distinzioni,* mi si convengono * più che a voi. 5

Con. Per qual ragione ?

Mar. Io sono il marchese di Forlipopoli.

Con. Ed io sono il conte d'Albafiorita.

Mar. Sì, Conte ! Contea comprata.*

Con. Io ho comprata la contea quando voi avete 10 venduto il marchesato.*

Mar. Oh basta: son chi sono, e mi si deve portar* rispetto.

Con. Chi ve lo perde il rispetto ? * Voi siete quello che con troppa libertà parlando . . . 15

2. **Sulla locanda,** dialectical; = *nella locanda.* 5. **delle distinzioni,** *special marks of consideration.* Do not translate the partitive **delle.** 5. **mi si convengono,** *they are more appropriate for me.* 9. **Contea comprata,** i.e., *You* bought *the title* (or *estate*) *of Count.* 11. **marchesato,** *title* (or *estate*) *of a Marquis.* 13. **si deve portar.** Italian frequently uses a reflexive where English uses a passive. 14. **Chi ve lo perde il rispetto ?** It is common to use a pleonastic (redundant, superfluous) conjunctive pronoun, **lo** referring to **il rispetto** to indicate emphasis (as here), or when there is any deviation from the natural word-order.

1

Mar. Io sono in questa locanda, perchè amo la locandiera. Tutti lo sanno, e tutti devono rispettare una giovane che piace a me.*

Con. Oh quest'è bella ! * Voi mi vorreste impedire ch'io amassi Mirandolina ? Perchè credete 5 ch'io sia in Firenze ? Perchè credete ch'io sia in questa locanda ?

Mar. Oh bene. Voi non farete niente.

Con. Io no, e voi sì ?

Mar. Io sì, e voi no. Io son chi sono. Miran- 10 dolina ha bisogno della mia protezione.*

Con. Mirandolina ha bisogno di denari, e non di protezione.

Mar. Denari ? . . . non ne mancano.

Con. Io spendo uno zecchino il giorno, signor 15 Marchese, e la regalo continuamente.

Mar. Ed io, quel che fo, non lo dico.

Con. Voi non lo dite, ma già si sa.*

Mar. Non si sa tutto.

Con. Sì, caro signor Marchese, si sa. I came- 20 rieri lo dicono. Tre paoletti * il giorno.

Mar. A proposito di camerieri, vi è quel cameriere che ha nome Fabrizio; mi piace poco. Parmi * che la locandiera lo guardi assai di buon occhio.

Con. Può essere che lo voglia sposare. Non 25 sarebbe cosa mal fatta. Sono sei mesi che è morto

---

3. **che piace a me** reveals the egotist. Compare the unemphatic *che mi piace.* 4. **quest'è bella !** *That's a good one !* 11. **protezione.** Not exactly " protection," but rather " social influence " or " prestige," which is all that the impecunious Marquis can offer Mir., but he makes the most of it. He would make her his *protégée,* which suggests the proper connotation. 18. **si sa.** See page 1, note 13. 21. **Tre paoletti,** *three paltry paoli.* The diminutive is often used to express scorn. The *paolo,* a Tuscan coin, was worth only a few cents. 23. **Parmi** = *mi pare.*

il di lei padre.*   Sola, una giovane alla testa di una locanda si troverà imbrogliata.*   Per me, se si marita, le ho promesso trecento scudi.

Mar. Se si mariterà, io sono il suo protettore,* e farò io . . . E so io quello che farò.   5

Con. Venite qui; facciamola da buoni amici.* Diamole trecento scudi per uno.

Mar. Quel ch'io faccio, lo faccio segretamente, e non me ne vanto. Son chi sono. (*Chiama.*) Chi è di là ? *   10

Con. (*da sè.*) (Spiantato ! * Povero e superbo !)

SCENA II

Fabrizio e detti.

Fab. (*al Marchese.*) Mi comandi, signore.

Mar. Signore ? Chi ti ha insegnato le creanze ?

Fab. La perdoni.*   15

Con. (*a Fabrizio.*) Ditemi: come sta la padroncina ?

1. **Sono . . . padre.** Current usage would make it: *È morto da sei mesi suo padre.* Goldoni's use of *il di lei* for *suo* is not to be imitated. 2. **imbrogliata,** *embarrassed,* or *in difficulties.* 4. **protettore,** *patron* or *sponsor.* See p. 2, note 11. 6. **facciamola da buoni amici,** *let's settle it like good friends.* 10. **Chi è di là ?** *Hello out there !* The Marquis is calling to the servant. 11. **Spiantato !** *penniless,* " *broke.*" 15. **La perdoni,** *I beg your pardon. La,* (colloquial), is short for *Ella,* a nominative form used in respectful address. It is repeated a number of times in our text. *Perdoni* is 3rd person pres. subj.

Fab. Sta bene, illustr*i*ssimo.

Mar. È alzata dal letto ?

Fab. Illustr*i*ssimo sì.

Mar. *A*sino !

Fab. Perchè, illustr*i*ssimo signore ?   5

Mar. Che cos'è questo illustr*i*ssimo ?

Fab. È il t*i*tolo che ho dato anche a quell'altro cavali*e*re.

Mar. Tra lui e me vi è qualche differ*e*nza.

Con. (*a Fabrizio.*) Sentite ?   10

Fab. (*piano al Conte.*) (Dice la verità. Ci è differ*e*nza; me ne accorgo nei conti.)

Mar. Di' alla padrona che venga da me,* che le ho da parlare.*

Fab. Eccell*e*nza sì. Ho fallato* questa volta ? 15

Mar. Va bene. Sono tre mesi che lo sai,* ma sei un impertin*e*nte.

Fab. Come comanda, Eccell*e*nza.

Con. Vuoi vedere la differ*e*nza che passa fra il Marche*s*e e me ?   20

Mar. Che vorreste dire ?

Con. Ti*e*ni. Ti dono uno zecchino. Fa che anch'egli* te ne doni un altro.

Fab. (*al Conte.*) Grazie, illustr*i*ssimo. (*Al* Marche*s*e.) Eccell*e*nza ... *   25

Mar. Non getto il mio,* come i pazzi. V*a*ttene.

13. **da me,** *to my room,* in this case. Compare the French *chez.* 14. **che le ho da parlare,** *because I have something to tell her. Avere da* and infinitive indicate what is to be done; not necessarily what *has* to be done. 15. **fallato.** *Did I say it wrong? Fallato* is an archaic form. *Sbagliato* or *errato* would be used to-day. 16. **Sono ... sai.** See p. 3, note 1. 23. **Fa' che ... egli,** *make him,* or *get him to* ... 25. **Eccellenza ...** Spoken (probably with a bow), when taking leave: *Your Excellency* ... 26. **il mio,** the word *denaro* (money) is understood.

Fab. (*al Conte.*)   Illustr*i*ssimo signore, il cielo La benedica.* Eccellenza ... (*Da sè.*) (Rifinito !* *~~spiantato~~*) Fuor del suo pae*s*e non vogliono esser t*i*toli per farsi stimare, vogliono esser quattrini.*) (*Parte.*)

SCENA III

*Il Marche*se *ed il Conte.*

Mar.   Voi credete di soverchiarmi con i regali,   5 ma non farete niente. Il mio grado val più di tutte le vostre monete.

Con.   Io non apprezzo quel che vale, ma quello che si può spendere.

Mar.   Spendete pure* a rotta di collo.*   Mi- 10 randolina non fa stima di voi.

Con.   Con tutta la vostra gran nobiltà, credete voi di essere da lei stimato ? Vogliono esser denari. *~~To be in a position~~*

Mar.   Che denari ? Vuol esser protezione. Esser buono in un incontro * di far un piacere.   15

Con.   Sì, esser buoni in un incontro di prestar cento doppie.*

Mar.   Farsi portar rispetto bi*s*ogna.*

Con.   Quando non mancano denari, tutti ris- pettano.   20

2. **La benedica.** Optative subj. *May Heaven bless you.* 2. **Rifinito.** Now *spiantato*. See p. 3, note 11. 4. **vogliono esser quattrini,** *it takes money.* 10. **pure.** With an imperative, *pure* is often used with the general idea of *All right then,* or *Just go ahead and* ... 10. **a rotta di collo.** *Rotta* is the past part. of *rompere* (to break); therefore, *at breakneck speed,* or *riotously.* 15. **in un incontro,** *in an emergency,* or *in a pinch.* 17. **doppie,** *pistoles* (gold coin varying in value according to the locality). 18. **Farsi ...** **bisogna** = *bisogna farsi portar rispetto.*

Mar. Voi non sapete quel che vi* dite.
Con. L'intendo meglio di voi.

SCENA IV

Il Cavaliere di Ripafratta, dalla sua camera, e detti.

Cav. Amici, che cos'è questo rumore ? Vi è
qualche dissensione fra di voi altri ?*

Con. Si disputava sopra un bellissimo punto.   5

Mar. (*ironico*.) Il Conte disputa meco sul
merito della nobiltà.

Con. Io non levo il merito alla nobiltà; ma
sostengo che, per cavarsi dei capricci,* vogliono
esser denari.   10

Cav. Veramente, Marchese mio . . .

Mar. Orsù, parliamo d'altro.

Cav. Perchè siete venuti a simil contesa ?*

Con. Per un motivo il più ridicolo della terra.

Mar. Sì, bravo ! il Conte mette tutto in ridicolo. 15

Con. Il signor Marchese ama la nostra locandiera. Io l'amo ancor più di lui. Egli pretende
corrispondenza* come un tributo alla sua nobiltà.
Io la spero come una ricompensa alle mie attenzioni. Pare a voi che la questione non sia ridi- 20
cola ?

1. vi. Omit in translation.   4. **voi altri,** *you. Voi altri, noi altri* (also
written *voialtri, noialtri*) are frequently used in speaking of a group or of
a class. Cf. French *vous autres,* and Spanish *vosotros.*   9. **cavarsi dei
capricci,** *to satisfy one's whims.*   13. **venire a contesa,** *to have an argu-
ment.*   18. **pretende corrispondenza,** *expects his love to be returned.*

Mar. Bisogna sapere con quanto impegno io la proteggo.*

Con. (*al Cavaliere.*) Egli la protegge ed io spendo.

Cav. In verità non si può contendere * per ragione 5 alcuna che lo meriti meno. Una donna vi altera ? vi scompone ? * Una donna ? Che cosa mai * convien sentire ! Una donna ? Io certamente, non vi è pericolo che per le donne abbia che dir con * nessuno. Non le ho mai amate, non le ho mai 10 stimate, e ho sempre creduto che sia la donna per l'uomo una infermità insopportabile.

Mar. In quanto a questo poi,* Mirandolina ha un merito * straordinario.

Con. Sin qua il signor Marchese ha ragione. 15 La nostra padroncina della locanda è veramente amabile.

Mar. Quando l'amo io, potete credere che in lei vi sia qualche cosa di grande.

Cav. In verità mi fate ridere. Che mai può 20 avere di stravagante costei che non sia comune all'altre donne ?

Mar. Ha un tratto nobile, che incatena.*

Con. È bella, parla bene, veste con pulizia, è di un ottimo gusto. 25

Cav. Tutte cose che non vagliono un fico. Sono

---

2. **proteggo,** *I sponsor; I support.* See p. 2, note 11; p. 3, note 4. 5. **contendere,** *dispute* (*contend*). 7. **scompone,** *upsets,* or *disturbs.* 7. **Che cosa mai,** " *What ever ...?* " This pleonastic use of *mai* with an interrogative is frequent. 10. **che io abbia che dire con,** *that I shall ever have words with.* 13. **In ... poi,** *as far as that's concerned.* A stereotyped expression. 14. **merito,** *qualities* (here, and frequently in this play). 23. **tratto ... incatena,** *noble bearing which is charming.* (*Incatenare,* literally " to enchain, to shackle.")

tre giorni ch'io sono in questa locanda, e non mi
ha fatto specie veruna.*

Con. Guardatela, e forse ci* troverete del
buono.

Cav. Eh pazzia! l'ho veduta benissimo. È una 5
donna come l'altre.

Mar. Non è come l'altre; ha qualche cosa di
più. Io che ho praticato le prime dame, non ho
trovato una donna che sappia unire, come questa,
la gentilezza e il decoro. *dignità* 10

Con. Cospetto di bacco! Io son sempre stato
solito trattar donne; ne conosco i difetti ed il loro
debole.* Pure con costei, non ostante* il mio
lungo corteggio,* e le tante spese per essa fatte,*
non ho potuto toccarle un dito.* 15

Cav. Arte, arte sopraffina. Poveri gonzi! Le
credete, eh? A me non la farebbe.* Donne? alla
larga tutte quante elle sono.*

Con. Non siete mai stato innamorato?

Cav. Mai, nè mai lo sarò.* Hanno fatto il 20
diavolo per darmi moglie, nè mai l'ho voluta.*

Mar. Ma siete unico* della vostra casa; non
volete pensare alla successione?*

Cav. Ci ho pensato più volte, ma quando con-

---

2. non ... specie veruna, *she hasn't made* any *impression on me.*
3. ci, *about her.* 13. li difetti ed il loro debole. Incorrect for *i loro
difetti e il loro debole.* Difetti, *faults;* debole, *weakness.* 13. non ostante,
notwithstanding. 14. corteggio, *courtship.* Now la corte; per essa fatte =
fatte per essa. 15. toccarle un dito, *touch her (little) finger. Le* is dative of
possessor. 17. A me non la farebbe. *She wouldn't " put anything over "
on me.* 18. Alla ... sono! *Away with them all!* 20. nè mai lo sarò.
Omit *lo* in translation; it merely continues the idea of the preceding
sentence. 21. l'ho voluta. *l'* = una moglie. 22. unico, *only male survivor.*
23. successione, *heirs.*

sidero che per aver figliuoli mi converrebbe soffrire
una donna, mi passa subito la volontà.*

Con. Che volete voi fare delle vostre ricchezze ?

Cav. Godermi quel poco che ho con i miei amici.

Mar. Bravo, cavaliere, bravo; ci goderemo.   5

Con. E alle donne non volete dar nulla ?

Cav. Niente affatto. A me non ne mangiano
sicuramente.*

Con. Ecco la nostra padrona. Guardatela, se
non è adorabile.   10

Cav. Oh la bella cosa ! Per me, stimo più di lei
quattro volte un bravo cane da caccia.*

Mar. Se non la stimate voi, la stimo io.

Cav. Ve la lascio, se fosse più bella di Venere.

SCENA V

Mirandolina e detti.

Mir. M'inchino a questi cavalieri. Chi mi 15
domanda di Lor signori ?*

Mar. Io vi domando, ma non qui.

Mir. Dove mi vuole, eccellenza ?

Mar. Nella mia camera.

Mir. Nella Sua camera ? Se ha bisogno di 20
qualche cosa, verrà il cameriere a servirla.

Mar. (*al Cav.*) (Che dite di quel contegno ?*)

2. mi . . . volontà, *I quickly get out of the notion.* 8. A me . . .
sicuramente. *They're certainly not going to get anything out of me* (i.e.,
" feed on " me). 12. cane da caccia, *hunting dog.* 16. Chi mi domanda . . .
Construe: *Chi di Lor signori mi domanda?* 22. contegno, *demureness,* or
reserve.

Cav. (*al Marchese.*) (Quello che voi chiamate contegno, io lo chiamerei temerità, impertinenza.)

Con. Cara Mirandolina, io vi parlerò in pubblico; non vi darò l'incomodo di venire nella mia camera. Osservate questi orecchini. Vi piacciono? 5

Mir. Belli.

Con. Sono diamanti, sapete?

Mir. Oh li conosco. Me n'intendo anch'io dei diamanti. 10

Con. E sono al vostro comando.

Cav. (*piano al Conte.*) (Caro amico, voi li buttate via.*)

Mir. Perchè mi vuol Ella donare quegli orecchini? 15

Mar. Veramente sarebbe un gran regalo! Ella ne ha de' più belli al doppio.*

Con. Questi sono legati alla moda.* Vi prego riceverli per amor mio.

Cav. (*da sè.*) (Oh che pazzo!) 20

Mir. No, davvero, signore . . .

Con. Se non li prendete, mi disgustate.*

Mir. Non so che dire . . . mi preme tenermi amici gli avventori della mia locanda. Per non disgustare il signor Conte li prenderò. 25

Cav. (*da sè.*) (Oh che forca!) *

Con. (*al Cavaliere.*) Che dite di quella prontezza di spirito?*

---

13. **buttate via,** *throw away.* 17. **de' più belli al doppio,** *some that are twice as beautiful.* 18. **legati alla moda,** *stylishly set.* 22. **mi disgustate,** *you will offend me.* Now *mi offendete.* The pres. tense for the fut. is more common in Italian than in English. 26. **forca,** *hussy.* 28. **prontezza di spirito,** *readiness of wit.*

Cav. (Bella prontezza ! Ve li mangia,* e non vi ringrazia nemmeno.)

Mar. Veramente, signor Conte, vi siete acquistato un gran merito. Regalare una donna in pubblico, per vanità ! — Mirandolina, vi ho da 5 parlare a quattr'occhi,* fra voi e me; son cavaliere.

Mir. (da sè.) (Che arsura ! Non gliene cascano.*) Se altro non mi comandano, io me n'anderò. 10

Cav. Ehi ! Padrona. La biancheria che mi avete dato, non mi gusta.* (Con disprezzo.) Se non avete di meglio, mi provvederò.*

Mir. Signore, ve ne sarà di meglio. Sarà servita, ma mi pare che la potrebbe chiedere con 15 un poco di gentilezza.

Cav. Dove spendo il mio denaro non ho bisogno di far complimenti.

Con. (a *Mirandolina*.) Compatitelo. Egli è nemico capitale delle donne. 20

Cav. Eh, che* non ho bisogno di essere da lei compatito.

Mir. Povere donne ! che cosa Le hanno fatto ? Perchè così crudele * con noi, signor Cavaliere ?

Cav. Basta così. Con me non vi prendete 25 maggior confidenza. Cambiatemi la biancheria.

---

1. **Ve li mangia.** *She "gobbles them up."* 6. **a quattr'occhi,** *privately.* 9. **Non gliene cascano.** *No "pickings" from him.* Ne *refers to "presents"* (understood). 12. **non mi gusta** = *non mi piace:* "I don't like." 13. **Se . . . provvederò.** *If you don't have anything better, I'll take suitable measures,* or *I'll act accordingly.* 21. **che** *is an expletive; omit in translation.* 24. **crudele,** *cruel.*

La manderò a prendere pel servitore.* Amici, vi
sono schiavo.* (*Parte.*)

SCENA VI

Il Marchese, il Conte e Mirandolina.

Mir. Che uomo selvatico! Non ho veduto il
compagno.*

Con. Cara Mirandolina, tutti non conoscono il　5
vostro merito.

Mir. In verità, son così stomacata * del suo mal
procedere che or ora lo licenzio a dirittura.*

Mar. Sì, e se non vuol andarsene, ditelo a me,
che * lo farò partire immediatamente. Fate pur 10
uso della mia protezione.

Con. E per il denaro che aveste a perdere, io
supplirò, e pagherò tutto. (*Piano a Mirandolina.*)
(Sentite, mandate via anche il Marchese, che *
pagherò io.)　　　　　　　　　　　　　　　　　15

Mir. Grazie, signori miei, grazie. Ho tanto
spirito che basta, per dire ad un forestiere ch'io non
lo voglio, e circa all'utile, la mia locanda non ha mai
camere in ozio.*

---

1. **La manderò . . . servitore.** *I'll send my servant for it.*　2. **vi sono
schiavo.** *By your leave.* A polite form of leave-taking. **Schiavo** literally
means *slave.*　4. **il compagno** = *uno simile:* "his equal."　7. **stomacata,** *disgusted.*　8. **lo licenzio a dirittura,** *I'll make him leave at once.*
10. **che** = *e,* in this case.　14. **che** = *e.*　19. **in ozio,** *vacant.* Now *vuote*
or *non affittate.* **Ozio** = *idleness.*

SCENA VII

Fabrizio e detti.

Fab. (*al Conte.*) Illustrissimo, c'è uno che La domanda.

Con. Sai chi sia ?

Fab. Credo ch'egli sia un legatore di gioie.* (*Piano a Mirandolina.*) (Mirandolina, giudizio; 5 qui non istate bene.*) (*Parte.*)

Con. Oh sì, mi ha da mostrare un gioiello. Mirandolina, quegli orecchini voglio che li accompagniamo.*

Mir. Eh no, signor Conte . . .   10

Con. Voi meritate molto, ed io i denari non li stimo * niente. Vado a vedere questo gioiello. Addio, Mirandolina. Signor Marchese, La riverisco. (*Parte.*)

SCENA VIII

Il Marchese e Mirandolina.

Mar. (*da sè.*) (Maledetto Conte ! Con questi 15 suoi denari mi ammazza.*)

---

4. **legatore di gioie,** *jewel-setter.* Now *gioiellière* or *orefice.* 6. **giudizio; qui non istate bene,** *Beware, this is not the place for you.* (*I-state = state.*) A more pleasing sound, to the Italian ear, is often obtained by prefixing an *i* to a word beginning with *s* — impure, when it is preceded by *con, in, non,* or *per.* 9. **quegli . . . accompagniamo,** *I want to match those earrings of yours.* 12. **i denari non li stimo** = *io non stimo i denari.* 16. **Con . . . ammazza,** *He'll be the death of me with that money of his.*

Mir.   In verità il signor Conte s'incomoda
troppo.

Mar.   Costoro hanno quattro soldi,* e li spendono
per vanità, per albagia.*   Io li conosco, so il viver
del mondo.*   5

Mir.   Eh, il viver del mondo lo so ancor io.

Mar.   Pensano che le donne della vostra sorta si
vincano con i regali.

Mir.   I regali non fanno male allo stomaco.*

Mar.   Io crederei di farvi un'ingiuria, cercando 10
di obbligarvi con i donativi.*

Mir.   Oh, certamente il signor Marchese non mi
ha ingiuriato mai.

Mar.   E tali ingiurie non ve le farò.

Mir.   Lo credo sicurissimamente.   15

Mar.   Ma, dove posso,* comandatemi.

Mir.   Bisognerebbe ch'io sapessi in che cosa*
può Vostra Eccellenza.

Mar.   In tutto.   Provatemi.

Mir.   Ma, verbigrazia,* in che ?   20

Mar.   Per bacco !   Avete un merito che sorprende.*

Mir.   Troppe grazie, Eccellenza.

Mar.   Ah ! direi quasi * uno sproposito.   Maledirei quasi * la mia Eccellenza.   25

Mir.   Perchè, signore ?

---

3. **quattro soldi,** *a few pennies.* 4. **albagia,** *vainglory.* 5. **il viver del
mondo,** *the ways of the world.* 9. **I regali . . . stomaco,** *Presents are not
distasteful.* 11. **donativi,** *presents.* 16. **dove posso:** supply *servirvi. Wherever I can be of service to you.* 17. **in che cosa,** *in what way.* 20. **verbigrazia,**
for instance. Now *per esempio.* 22. **Avete un merito che sorprende,** *You
are wonderfully charming.* 24. **direi quasi . . . Maledirei quasi,** *I am half-
inclined to say . . . to curse.*

Mar. Qualche volta mi auguro di essere * nello
stato del Conte.

Mir. Per ragione forse de' suoi denari ?

Mar. Eh ! che denari ! Non li stimo un fico.
Se fossi un Conte ridicolo come lui . . .

Mir. Che cosa farebbe ?

Mar. Cospetto del diavolo . . . vi sposerei.
(*Parte.*)

SCENA IX

Mirandolina sola.

Uh, che mai ha detto ! L'eccellentissimo signor
marchese Arsura * mi sposerebbe ? Eppure se mi
volesse sposare, vi sarebbe una piccola difficoltà.
Io non lo vorrei. Mi piace l'arrosto, e del fumo non
so che farne.* Se avessi sposati tutti quelli che
hanno detto volermi, oh avrei pure tanti * mariti !
Quanti arrivano a questa locanda, tutti di me
s'innamorano, tutti mi fanno i cascamorti; e tanti
e tanti mi esibiscono di sposarmi a dirittura. E
questo signor Cavaliere, rustico come un orso,*
mi tratta sì bruscamente ? Questi è il primo
forestiere, capitato alla mia locanda, il quale non

1. mi auguro di essere, *I wish I were.* 10. L'eccellentissimo signor
marchese Arsura, *His Excellency " Lord Bawlingbroke."* 13. Mi piace
l'arrosto . . . non so che farne, *I like roast meat* (i.e., substantial things,
money), *but have no use for the smoke* (i.e., the unsubstantial things, titles).
14. pure tanti, *ever so many.* 18. rustico come un orso, *as gruff as a
bear.*

*a*bbia avuto piacere di trattare con me. Non dico
che tutti in un salto* s'*a*bbiano a innamorare; ma
disprezzarmi così, è una cɔsa che mi muɔve la bile
terribilmente. È nemico delle dɔnne? Non le
può vedere? Pɔvero pazzo! Non avrà ancora 5
trovato quella che sappia fare.* Ma la troverà. La
troverà. E chi sa che non l'*a*bbia trovata? Con
questi per l'appunto mi ci metto di picca.* Quei
che mi corrono diɛtro, prɛsto prɛsto m'annɔiano.
La nobiltà non fa* per me. La ricchezza la stimo, 10
e non la stimo. Tutto il mio piacere consiste in
vedermi servita, vagheggiata,* adorata. Questa è
la mia debolezza, e questa è la debolezza di quaſi
tutte le dɔnne. A maritarmi non ci pɛnso nemmeno; non hɔ biſogno di nessuno; vivo onesta- 15
mente, e gɔdo la mia libertà. Tratto con tutti,
ma non m'innamoro mai di nessuno. Vɔglio
burlarmi di tante caricature d'amanti spaſimati *;
e vɔglio uſar tutta l'arte per vincere, abbattere e
conquassare* quei cuɔri barbari e duri, che son 20
nemici di noi, che siamo la migliɔr cɔsa che *a*bbia
prodotto al mondo la bɛlla madre natura.*

---

2. **in un salto,** *all at once:* (**salto** = bound, jump.) Now *di bɔtto.*
6. **Non avrà ... fare.** *Doubtless he has not yet found,* [future of prob-
ability] *the one who can deal with him* (i.e., his match). 8. **Con questi ...
di picca.** *Indeed, I'm going to match my wits* (tilt lances) *with such fellows.*
10. **non fa,** *is not suited.* 12. **vagheggiata,** *courted.* 18. **caricature di amanti
spasimati,** *love-smitten clowns.* Now *spasimanti.* 20. **conquassare,** *crush.*
22. **natura** is the subject of **abbia prodotto.**

SCENA X

Fabrizio e detta.

Fab. Ehi, padrona.

Mir. Che cosa c'è?

Fab. Quel forestiere che è alloggiato nella camera di mezzo, grida della * biancheria; dice che è ordinaria, e che non la vuole.   5

Mir. Lo so, lo so. Lo ha detto anche a me, e lo voglio servire.

Fab. Benissimo. Venitemi * dunque a metter fuori la roba, che gliela possa portare.

Mir. Andate, andate, gliela porterò io.   10

Fab. Voi gliela volete portare?

Mir. Sì, io.

Fab. Bisogna che vi prema molto questo forestiere.

Mir. Tutti mi premono. Badate a voi.   15

Fab. (*da sè.*) (Già me n'avvedo. Non faremo niente. Ella mi lusinga, ma non faremo niente.)

Mir. (*da sè.*) (Povero sciocco! Ha delle pretensioni. Voglio tenerlo in isperanza * perchè mi serva con fedeltà.) *   20

Fab. Si è sempre costumato * che i forestieri li serva io.*

Mir. Voi con i forestieri siete un poco troppo ruvido.*

4. **grida della,** *is complaining of the.* 8. **Venitemi,** omit mi in translation. 19. **in isperanza,** *hopeful.* See p. 13, note 6. 20. **con fedeltà,** *faithfully.* 21. **è . . . costumato,** *it has always been customary.* Now *usato.* 22. **li serva io.** The position of the subject denotes emphasis: *that **I** should serve strangers,* or *that strangers should be served by **me**.* 24. **ruvido,** *harsh.* Now *rude* or *scortese.*

re guardi

Fab. E voi siete un poco troppo gentile.

Mir. So quel che fo, non ho bisogno di corret- tori.*

Fab. Bene, bene. Provvedetevi di cameriere.

Mir. Perchè, signor Fabrizio? È disgustato* 5 di me?

Fab. Vi ricordate voi, che cosa ha detto a noi due vostro padre, prima ch'egli morisse?

Mir. Sì; quando mi vorrò maritare, mi ri- corderò di quel che ha detto mio padre. 10

Fab. Ma io son delicato di pelle*; certe cose non le posso soffrire.

Mir. Ma che credi tu ch'io mi sia?* Una frasca?* Una civetta?* Una pazza? Mi mara- viglio di te. Che voglio fare io dei forestieri che 15 vanno e vengono? Se li tratto bene, lo fo per mio interesse, per tener in credito la mia locanda.* De' regali non ne ho bisogno. Per far all' amore? Uno mi basta, e questo non mi manca; e so chi merita, e so quello che mi conviene. E quando 20 vorrò maritarmi ... mi ricorderò di mio padre. E chi avrà servito bene non potrà lagnarsi di me. Son grata.* Conosco il merito ... Ma io non son conosciuta. Basta, Fabrizio, intendetemi, se po- tete. (*Parte.*) 25

Fab. Chi può intenderla è bravo davvero. Ora pare che la* mi voglia, ora che la* non mi voglia.

---

3. **correttori,** *critics.* 5. È disgustato. Now *È adirato* (*con*). Note the third person form here, and that her next vocative is *tu,* followed shortly by *voi.* 11. **delicato di pelle,** *thin-skinned* or *sensitive.* 13. **io mi sia?** Omit mi in translation. 14. **Una ... civetta** *A flirt? or a " vamp"?* 17. **per tener ... locanda,** *To maintain good will toward my inn.* 23. **grata,** *grateful.* 27. **la** is a shortened form of *ella.*

Dice che non è una frasca, ma vuol fare a suo
modo.* Non so che dire. Staremo a vedere. Ella
mi piace, le voglio bene, accomoderei con essa i
miei interessi per tutto il tempo di vita mia.* Ah !
bisognerà chiuder un occhio, e lasciar correre 5
qualche cosa. Finalmente i forestieri vanno e
vengono. Io resto sempre. Il meglio sarà sempre
per me. (*Parte.*)

SCENA XI

Camera del Cavaliere.

Il Cavaliere ed un servitore.

Ser. Illustrissimo, hanno portato questa lettera.

Cav. Portami la cioccolata. (*Il servitore parte;* 10
il Cavaliere apre la lettera.)

Siena, primo gennaio 1753. (Chi scrive ?) *Orazio
Taccagni. Amico carissimo.* La tenera amicizia
che a voi mi lega, mi rende sollecito ad avvisarvi **
essere necessario il vostro ritorno in patria. È morto il 15
Conte Manna . . . (povero Cavaliere ! me ne dispiace.) *Ha lasciato la sua unica figlia nubile **
erede * di cento cinquanta mila scudi. Tutti gli amici
vostri vorrebbero che toccasse a voi una tal fortuna, e
vanno maneggiando * . . . Non s'affatichino per me,* 20

2. **fare a suo modo,** *To have her own way.*   4. **accomoderei . . . vita mia.**
I should like to form a life-long partnership with her.   13. **carissimo,** *dear.*
14. **avvisarvi,** *inform you,* or *advise you.*   17. **nubile,** *marriageable.*
18. **erede,** *as heir.*   20. **vanno maneggiando,** *are working towards
that end,* or *are making maneuvers.* In the so-called progressive construc-
tion, *stare* is used to imply condition, *andare* continuation or progress.
20. **Non s'affatichino per me,** *They needn't go to any trouble for me.* The
following *che* need not be translated.

che non ne voglio saper nulla. Lo sanno pure, che
io non voglio donne per i piedi.* E questo mio caro
amico, che lo sa più d'ogni altro, mi secca peggio di
tutti. (*Straccia * la lettera.*) Che importa a me di
cento cinquanta mila scudi ? Finchè son solo mi 5
basta meno. Se fossi accompagnato,* non mi basterebbe assai più. Moglie a me ! Piuttosto una
febbre quartana.*

SCENA XII

Il Marchese e detto.

Mar. Amico, vi contentate ch'io venga a stare
un poco con voi ?   10

Cav. Mi fate onore.

Mar. Almeno fra me e voi possiamo trattarci
con confidenza; ma quel somaro * del Conte non è
degno di stare in conversazione con noi.

Cav. Caro Marchese, compatitemi; rispettate 15
gli altri, se volete essere rispettato voi pure.

Mar. Sapete il mio naturale.* Io fo le cortesie
a tutti, ma colui non lo posso soffrire.

Cav. Non lo potete soffrire, perchè vi è rivale in
amore. Vergogna ! Un cavaliere della vostra 20
sorta innamorarsi di una locandiera ! Un uomo
savio, come siete voi, correr dietro a una donna !

2. **per i piedi,** *bothering me* (*under foot*).   4. **straccia,** *he tears up.*
6. **accompagnato,** *married.*   8. **febbre quartana,** *quartan fever,* (a fever
recurring every fourth day — *quarto giorno*).   13. **somaro,** *ass* or *ignoramus.*
17. **naturale,** *disposition.*   Now *indole,* fem.

Mar. Cavaliere mio, costei mi ha stregato.*

Cav. Oh! Pazzie, debolezze! Che stregamenti? Che vuol dire* che le donne non mi
stregheranno? Le loro fattucchierie* consistono
nei loro vezzi, nelle loro lusinghe; e chi ne sta 5
lontano, come fo io, non ci è pericolo che si lasci
ammaliare.*

Mar. Basta; ci penso,* e non ci penso; quel che
mi dà fastidio,* e che m'inquieta,* è il mio fattor di
campagna.   10

Cav. Vi ha fatto qualche porcheria?

Mar. Mi ha mancato di parola.

SCENA XIII

Il servitore con una cioccolata, e detti.

Cav. Oh mi dispiace ... (*Al servitore.*) Fanne
subito un'altra.

Ser. In casa per oggi non ce n'è altra, illustris- 15
simo.

Cav. Bisogna che ne provveda. (*Al Marchese.*)
Se vi degnate di questa ...

Mar. (*Prende la cioccolata* e si mette a berla*

1. **stregato,** *bewitched.* 3. **Che vuol dire ...?** *Does that mean ...?*
Che is frequently used pleonastically to introduce a question. 4. **fattucchierie,** *wiles.* Now *malie* or *stregonerie.* 7. **che si lasci ammaliare,** *of his
being bewitched.* 8. **ci penso,** *I think so.* 9. **dà fastidio,** *annoys.* 9. **inquieta,** *makes uneasy.* 19. **Prende la cioccolata ...** The Marquis, who, in
the name of good breeding, has already rebuked the Count, commits
more than one boorish action in this scene and in following scenes.

senza complimenti, seguitando poi a discorrere e bere, come segue.) Questo mio fattore, come io vi diceva . . . (Beve.)

Cav. (da sè.) (Ed io resterò senza.)

Mar. Mi aveva promesso mandarmi con l'or- 5 dinario* . . . (beve) venti zecchini . . . (beve.)

Cav. (da sè.) (Ora viene con una seconda stoccata.)

Mar. E non me li ha mandati . . . (beve.)

Cav. Li manderà un'altra volta. 10

Mar. Il punto sta . . . Il punto sta . . . (finisce di bere.) Tenete. (Dà la chicchera* al servitore.) Il punto sta che sono in un grande impegno, e non so come fare.

Cav. Otto giorni più, otto giorni meno . . . 15

Mar. Ma voi, che siete cavaliere, sapete quel che vuol dire il mantener la parola.* Sono in impegno, e . . . corpo di bacco ! Darei delle pugna in cielo.*

Cav. Mi dispiace di vedervi scontento. (Da 20 sè.) (Se sapessi come uscirne con riputazione !)

Mar. Voi avreste difficoltà per otto giorni di farmi il piacere ?

Cav. Caro Marchese, se potessi, vi servirei di cuore; se ne avessi, ve li avrei esibiti a dirittura. 25 Ne aspetto,* e non ne ho.

Mar. Non mi darete ad intendere d'esser senza denari.

---

6. **con l'ordinario,** *by mail;* to-day's usage is *per via di corriere* or *per il corriere postale.* 12. **chicchera,** *cup.* 17. **il mantener la parola,** *keeping one's word.* The infinitive is often used as a verbal noun. 19. **Darei delle pugna in cielo,** *I am at my wits' end* (lit.: I could beat the air with my fists.) 26. **Ne aspetto,** *I am expecting some* (money).

Cav. Osservate. Ɛcco tutta la mia ricchezza. (*Mostra uno zecchino e varie monete.*) Non arrivano a due zecchini.

Mar. Quello è uno zecchino d'ɔro.

Cav. Sì; è l'ultimo, non ne hɔ più.   5

Mar. Prestatemi quello, che vedrɔ intanto . . .

Cav. Ma io pɔi . . .

Mar. Di che avete paura ? Ve lo renderɔ.

Cav. Non sɔ che dire, servitevi.* (*Gli dà lo zecchino.*)   10

Mar. Hɔ un affare di premura . . . amico; obbligato per ora* (*prɛnde lo zecchino.*) ci rivedremo a pranzo. (*Parte.*)

SCƐNA XIV

Il Cavaliɛre solo.

Bravo ! Il signɔr Marchese mi voleva frecciare* venti zecchini, e pɔi si è contentato di uno. 15 Finalmente uno zecchino non mi prɛme di pɛrderlo, e se non me lo rɛnde, non mi* verrà più a seccare. Mi dispiace più, che mi ha bevuto la mia ciocco- lata. Che indiscretezza !* E pɔi: « Son chi sono,* son cavaliɛre. » Ɔh garbatissimo cavaliɛre ! 20

9. **servitevi,** *help yourself.* 12. **obbligato per ora,** *just now I can only thank you.* 14. **frecciare,** *to fleece.* 17. **mi.** Construe as object of *sec-care.* 19. **Che indiscretezza !** *Such forwardness!* 20. **Son chi sono.** The Knight is ironically quoting the favorite expression of the Marquis.

SCENA XV

Mirandolina colla biancheria, e detto.

Mir. (*entrando con qualche soggezione.*) Permette, illustrissimo ?*

Cav. (*con asprezza.*) Che cosa volete ?

Mir. (*s'avanza un poco.*) Ecco qui della biancheria migliore.   5

Cav. Bene. (*Accenna* il tavolino.*) Mettetela lì.

Mir. La supplico almeno degnarsi vedere se è di Suo genio.

Cav. Che roba è ?   10

Mir. Le lenzuola sono di rensa.* (*S'avanza ancor più.*)

Cav. Rensa ?

Mir. Sì signore, di dieci paoli al braccio. Osservi.   15

Cav. Non pretendevo tanto. Bastavami* qualche cosa meglio di quel che mi avete dato.

Mir. Questa biancheria l'ho fatta per personaggi di merito *; per quelli che la sanno conoscere; e in verità, illustrissimo, la dò per esser Lei,* ad un 20 altro non la darei.

Cav. Per esser Lei ! Solito complimento.

Mir. Osservi il servizio di tavola.

2. **Permette, illustrissimo?** *May I enter, Your Lordship?* 6. **Accenna,** *indicates.* 11. **lenzuola . . . di rensa,** *These are fine linen sheets. Rensa* is the Italianized form of *Rheims* (France). 16. **Bastavami =** *mi sarebbe bastato.* 19. **di merito,** *of social distinction.* 20. **per esser Lei,** *seeing it's you.* Incorrect for *la do perchè è Lei.*

Cav. Oh! Queste tele di Fiandra,* quando si lavano, perdono assai. Non vi è bisogno che le insudiciate* per me.

Mir. Per un cavaliere della Sua qualità, non guardo a queste piccole cose. Di queste salviette 5 ne ho parecchie, e le serberò* per V. S. illustrissima.

Cav. (*da sè.*) (Non si può negare che costei non* sia una donna obbligante.)

Mir. (*da sè.*) (Veramente ha una faccia burbera da non piacergli le donne.)* 10

Cav. Date la mia biancheria al mio cameriere, o ponetela lì, in qualche luogo. Non vi è bisogno che v'incomodiate per questo.

Mir. Oh io non m'incomodo mai, quando servo cavalieri di sì alto merito. 15

Cav. Bene, bene, non occorr'altro. (*Da sè.*) (Costei vorrebbe adularmi. Donne! Tutte così.)

Mir. La metterò nell'arcova.*

Cav. (*con serietà.*) Sì, dove volete.

Mir. (*da sè.*) (Oh! vi è del duro.* Ho paura 20 di non far niente.) (*Va a riporre la biancheria.*)

Cav. (*da sè.*) (I gonzi sentono queste belle parole, credono a chi le dice, e cascano.)

Mir. (*ritornando senza la biancheria.*) A pranzo, che cosa comanda? 25

Cav. Mangerò quello che vi sarà.*

Mir. Vorrei pur sapere il Suo genio.* Se Le piace una cosa più dell'altra, lo dica * con libertà.

---

1. **tele di Fiandra,** *Flemish linens.* 3. **insudiciate,** *soil.* 6. **serberò,** *I shall save.* 8. **Non.** Omit in translation. 10. **ha una faccia ... donne,** *he has the surly face of one who doesn't like women.* 18. **arcova,** *alcove.* Now *alcova.* 20. **vi è del duro,** i.e., *he's a " tough customer."* 26. **quello che vi sarà,** *whatever there is.* 27. **genio.** Now *gusto* or *piacere.* 28. **dica.** *Imperative.*

Cav. Se vorrò qualche cosa, lo dirò al cameriere.

Mir. Ma in queste cose gli uomini non hanno l'attenzione e la pazienza che abbiamo noi altre donne. Se Le piacesse qualche intingoletto, qualche salsetta,* favorisca di dirlo a me. 5

Cav. Vi ringrazio; ma nè anche per questo verso vi riuscirà di far con me quello che avete fatto col Conte, e col Marchese.

Mir. Che dice della debolezza di quei due cavalieri ? Vengono alla locanda per alloggiare, 10 e pretendono poi di far all'amore colla locandiera. Abbiamo altro in testa, noi, che dar retta alle loro ciarle.* Cerchiamo di fare il nostro interesse *; se diamo loro delle buone parole, lo facciamo per tenerli a bottega *; e poi io principalmente,* quando 15 vedo che si lusingano, rido come una pazza.

Cav. Brava ! Mi piace la vostra sincerità.

Mir. Oh ! non ho altro di buono che la sincerità.

Cav. Ma però con chi vi fa la corte sapete 20 fingere.

Mir. Io fingere ? Guardimi il cielo. Domandi un poco a * quei due signori che fanno gli spasimati * per me, se ho mai dato loro un segno d'affetto, se ho mai scherzato con loro in maniera che si potessero 25 lusingare con fondamento. Non li strapazzo, perchè il mio interesse non lo vuole,* ma poco meno.

---

5. **salsetta**, *sauce* or *seasoning.* 13. **Abbiamo altro ... ciarle,** *We have other things to think about than to heed their chatter.* 13. **Cerchiamo ... interesse**, *We act for our own interests.* 15. **tenerli a bottega**, *to keep them as customers.* 15. **io principalmente**, *I, for my part.* 23. **Domandi un poco a**, *just ask.* 23. **fanno gli spasimati**, *act (absurdly) infatuated.* 27. **il mio interesse non lo vuole**, *my (business) interests cannot allow it.*

Questi uomini effeminati* non li posso vedere.
Siccome abborrisco anche le donne che corrono
dietro agli uomini. Vede? Io non sono una ragazza. Ho qualche annetto *; non son bella, ma
ho avuto delle buone occasioni; eppure non ho 5
mai voluto maritarmi, perchè stimo infinitamente
la mia libertà.

Cav.   Oh sì, la libertà è un gran tesoro.

Mir.   E tanti la perdono scioccamente.

Cav.   So ben io quel che faccio. Alla larga.*   10

Mir.   Ha moglie V. S. illustrissima?

Cav.   Il cielo me ne liberi!* Non voglio donne.

Mir.   Bravissimo. Si conservi* sempre così.
Le donne, signore . . . Basta, a me non tocca a dirne
male.   15

Cav.   Voi siete, per altro, la prima donna ch'io
senta parlar così.

Mir.   Le dirò: noi altre* locandiere vediamo e
sentiamo delle cose assai*; e in verità compatisco
quegli uomini che hanno paura del nostro sesso.   20

Cav.   (*da sè.*) (È curiosa costei.)

Mir.   Con permissione di V. S. illustrissima.
(*Finge voler partire.*)

Cav.   Avete premura di partire?

Mir.   Non vorrei esserle importuna.   25

Cav.   No, mi fate piacere, mi divertite.

Mir.   Vede, signore? Così fo con gli altri. Mi

---

1. **effeminati.** Note that this word does not mean " effeminate " here,
but a "lady's man" (*donnaiolo*). It is similarly used at the end of this
scene. 4. **Ho qualche annetto,** (facetious), *I am not so young any more.*
10. **Alla larga,** *Away with them!* 12. **Il cielo me ne liberi!** *Heaven
forbid!* 13. **Si conservi,** *May you remain.* Optative subj. 18. **noi altre,**
see p. 6, note 4. 19. **delle cose assai,** *a good many things.*

trattengo qualche momento; sono piuttosto alle-
gra, dico delle barzellette per divertirli, ed essi
subito credono ... Se La* m'intende ... e mi
fanno i cascamorti.

Cav. Questo accade, perchè avete buona ma- 5
niera.

Mir. (*con una riverenza.*) Troppa bontà, illustrissimo.

Cav. Ed essi s'innamorano ?

Mir. Guardi che debolezza !   Innamorarsi 10
subito di una donna !

Cav. Questa * io non l'ho mai potuta capire.

Mir. Bella fortezza! Bella virilità! *

Cav. Debolezze! Miserie umane!

Mir. Questo è il vero pensare degli uomini.* 15
Signor Cavaliere, mi porga la mano.

Cav. Perchè volete ch'io vi porga la mano ?

Mir. Favorisca, Si degni, osservi, sono pulita.

Cav. Ecco la mano.

Mir. Questa è la prima volta che ho l'onore 20
d'aver per la mano un uomo che pensa veramente
da uomo.*

Cav. (*ritira la mano.*) Via, basta così.

Mir. Ecco. Se io avessi preso per la mano uno
di que' due signori sguaiati,* avrebbe tosto* cre- 25
duto ch'io spasimassi per lui. Sarebbe andato in
deliquio.* Non darei loro una semplice libertà *

---

3. **La** = *Ella.*   12. **Questa** = *Questa cosa.*   13. **Bella fortezza ! Bella
virilità !** *Fine fortitude! Great manliness!*   15. **il vero pensare degli
uomini,** *indeed a manly thought.*   22. **da uomo,** *like a man.*   25. **sguaiati,**
mawkish.   25. **tosto,** *at once.*   27. **Sarebbe ... deliquio,** *He would have
gone into a faint.*   27. **una semplice libertà,** *the slightest sign of famil-
iarity.*

per tutto l'oro del mondo. Non sanno vivere.*
Oh benedetto il conversare alla libera !* senza attacchi,* senza malizia, senza tante ridicole scioc-
cherie. Illustrissimo, perdoni la mia impertinenza.
Dove posso servirla, mi comandi con autorità, e 5
avrò per Lei quell'attenzione che non ho mai avuto
per alcuna persona di questo mondo.

Cav. Per qual motivo avete tanta parzialità
per me ?

Mir. Perchè, oltre il Suo merito, oltre la Sua 10
condizione, sono almeno sicura che con Lei posso
trattare con libertà, senza sospetto che voglia far
cattivo uso delle mie attenzioni, e che mi tenga in
qualità di serva, senza tormentarmi con pretensioni ridicole, con caricature affettate.* 15

Cav. (*da sè.*) (Che diavolo ha costei di stravagante, ch'io non capisco !)

Mir. (*da sè.*) (Il satiro si anderà a poco a poco
addomesticando.) *

Cav. Orsù, se avete da badare alle cose vostre, 20
non restate per me.

Mir. Sì, signore, vado ad attendere alle faccende
di casa. Queste sono i miei amori, i miei passatempi. Se comanderà qualche cosa, manderò il
cameriere. 25

Cav. Bene . . . Se qualche volta verrete anche
voi, vi vedrò volentieri.

---

1. **Non sanno vivere,** *They have no tact* (savoir-vivre). 2–3. **Oh benedetto . . . attacchi,** *Oh what a blessing it is to converse freely, without sen-
timentality.* 15. **caricature affettate,** i.e., *insincere love-making.* 19. **Il
satiro . . . addomesticando,** *Little by little the wild man is going to be tamed.*
Current Italian usage has lost this meaning of *satiro* (Eng. satyr), as
an uncouth " cave man."

Mir. Io veramente non vado mai nelle camere
dei forestieri, ma da Lei* ci verrò qualche volta.

Cav. Da me* . . . Perchè ?

Mir. Perchè, illustrissimo signore, Ella mi
piace assaissimo. 5

Cav. Vi piaccio io ?

Mir. Mi piace perchè non è effeminato, perchè
non è di quelli che s'innamorano. (*Da sè.*) (Mi
caschi il naso,* se avanti domani non l'innamoro.)
(*Parte.*) 10

SCENA XVI

Il Cavaliere solo.

Eh ! So io quel che fo. Colle donne ? Alla larga.
Costei sarebbe una di quelle che potrebbero farmi
cascare più dell'altre. Quella verità, quella sciol-
tezza di dire,* è cosa poco comune. Ha un non so
che di straordinario*; ma non per questo mi 15
lascerei innamorare. Per un poco di divertimento
mi fermerei piuttosto con questa che con un'altra.
Ma per far all'amore ? Per perdere la libertà ?
Non vi è pericolo. Pazzi, pazzi quelli che s'innamorano delle donne. (*Parte.*) 20

2-3. da Lei . . . Da me, *to your room . . . to my room.* 9. **Mi caschi il
naso**, literally, *may my nose drop off.* Cf. "I'll eat my hat." 14. sciol-
tezza di dire, *outspokenness.* 15. un non so che di straordinario, *a certain
something which is unusual.*

SCENA XVII

Altra camera di locanda.

Ortensia, Deianira, Fabrizio.

Fab. Che restino servite qui,* illustrissime. Osservino quest'altra camera. Quella per dormire, e questa per mangiare, per ricevere, per servirsene come comandano.

Ort. Va bene, va bene. Siete voi padrone o cameriere ?

Fab. Cameriere, ai comandi di V. S. illustrissima.

Dei. (*piano a Ortensia, ridendo.*) (Ci dà delle illustrissime.)*

Ort. (Bisogna secondare il lazzo.)* Cameriere !

Fab. Illustrissima ?

Ort. Dite al padrone che venga qui; voglio parlar con lui per il trattamento.

Fab. Verrà la padrona; La servo subito. (*Da sè.*) (Chi diamine saranno queste due signore così sole ? All'aria, all'abito* paiono due dame.) (*Parte.*)

1. **Che restino servite qui,** *Please come in here!* A polite formula. 10. **Ci dà delle illustrissime,** *He calls us " Your Ladyships."* 11. **secondare il lazzo,** *act out the farce.* 17. **All'aria, all'abito,** (*judging*) *by their manner, by their dress.*

SCENA XVIII

Deianira e Ortensia.

Dei. Ci dà delle illustrissime. Ci ha creduto
due dame.

Ort. Bene. Così ci tratterà meglio.

Dei. Ma ci farà pagare di più.

Ort. Eh, circa i conti, avrà da fare con me. 5
Sono degli anni assai, che cammino il mondo.*

Dei. Non vorrei che con questi titoli entrassimo
in qualche impegno.

Ort. Cara amica, siete di poco spirito. Due commedianti, avvezze a far sulla scena da contesse, da 10
marchese, e da principesse, avranno difficoltà a
sostenere un carattere sopra di* una locanda ?

Dei. Verranno i nostri compagni, e subito ci
sbianchiranno.*

Ort. Per oggi non possono arrivare a Firenze. 15
Da Pisa a qui in navicello vi vogliono almeno tre
giorni.

Dei. Guardate che bestialità !* Venire in
navicello !

Ort. Per mancanza di lugagni.* È assai che 20
siamo venute noi in calesse.*

Dei. È stata buona quella recita di più* che
abbiamo fatto.

6. **Sono ... mondo**, *For a good many years I've been " going places."*
12. **sopra di.** Cf. p. 1, note 2. 14. **sbiancheranno**, *will unmask.* Actors'
slang. 18. **Guardate che bestialità !** *Oh what stupidity!* 20. **Per ...
lugagni**, *For lack of money* or *" ducats."* More slang. 21. **calesse**, *calash.*
A two-wheeled carriage. 22. **recita di più**, *extra (benefit) performance.*

Ort. Sì, ma se non istavo * io alla porta, non si faceva niente.*

SCENA XIX

Fabrizio e dette.

Fab. La padrona or ora sarà * a servirle.

Ort. Bene.

Fab. Ed io Le supplico a comandarmi. Ho 5 servito altre dame; mi darò l'onor di servire con tutta attenzione anche le signorie Loro illustrissime.

Ort. Occorrendo, mi varrò di voi.

Dei. (*da sè.*) (Ortensia queste parti le fa 10 benissimo.)

Fab. (*tira fuori un calamaio* ed un libriccino.*) Intanto Le supplico, illustrissime signore, favorirmi il Loro riverito nome per la consegna.*

Dei. (Ora viene il buono.)*   15

Ort. Perchè ho da dar il mio nome?

Fab. Noialtri locandieri siamo obbligati a dar il nome, il casato,* la patria, e la condizione di tutti i passeggieri che alloggiano alla nostra locanda. E se non lo facessimo, meschini noi.   20

1. **istavo ... si faceva** = *fossi stata ... si sarebbe fatto.* " If I had not stood at the door (to drum up trade), nothing would have come of it." This gives us a glimpse of theatrical life in those days. 3. **sarà = verrà,** " will come." 12. **calamaio,** *inkhorn;* **libriccino,** *memorandum book.*
14. **favorirmi ... consegna,** *favor me with your honored name for the register.*
15. **Ora viene il buono,** *This is going to be good.* I.e., *Now we're in for it.*
18. **casato,** *family name.* Now *cognome.*

Dei. (*piano ad Ortensia.*) (Amica, i titoli sono finiti.)

Ort. Molti daranno anche il nome finto.

Fab. In quanto a questo poi, noialtri scriviamo il nome che ci dettano,* e non cerchiamo di più. 5

Ort. Scrivete: la baronessa Ortensia del Poggio, palermitana.

Fab. (*scrivendo.*) (Siciliana? Sangue caldo.) (*A Deianira.*) Ella, illustrissima?

Dei. Ed io ... (Non so che mi dire.)   10

Ort. Via, contessa Deianira, dategli il vostro nome.

Fab. (*a Deianira.*) La supplico.

Dei. (*a Fabrizio.*) Non l'avete sentito?

Fab. (*scrivendo.*) *L'illustrissima signora con-* 15 *tessa Deianira* ... Il cognome?

Dei. (*a Fabrizio.*) Anche il cognome?

Ort. (*a Fabrizio.*) Sì, dal Sole, romana.

Fab. Non occorr'altro. Perdonino l'incomodo. Ora verrà la padrona. (L'ho io detto, che erano 20 due dame? Spero che farò de' buoni negozi.* Mancie* non ne* mancheranno.) (*Parte.*)

Dei. Serva umilissima della signora Baronessa.

Ort. (*si burlano vicendevolmente.*)* Contessa, a voi m'inchino.   25

Dei. Qual fortuna mi offre la felicissima congiuntura di rassegnarvi* il mio profondo rispetto?

---

5. **dettano,** *dictate* or *tell.* 21. **farò de' buoni negozi,** *I'll do good business* (i.e., *reap profits*). 22. **Mancie,** *tips.* 22. **ne.** Omit in trans. 24. **si burlano vicendevolmente,** *mocking each other.* The actresses jokingly address each other with high flown phrases taken from their rôles. 27. **congiuntura di rassegnarvi,** *opportunity to proffer. Congiuntura* is now *occasione,* fem.

Ort. Dalla fontana del vostro cuore scaturir non possono * che torrenti di grazie.

SCENA XX

Mirandolina e dette.

Dei. (*ad Ortensia, con caricatura.*) Madama, voi mi adulate.

Ort. (*fa lo stesso.*) Contessa, al vostro merito si 5 converrebbe assai più.

Mir. (*da sè, in disparte.*) (Oh che dame cerimoniose !)

Dei. (Oh quanto mi vien da ridere !) *

Ort. (*piano a Deianira.*) Zitto: è qui la pa- 10 drona.

Mir. M'inchino a queste dame.*

Ort. Buon giorno, quella giovane.*

Dei. (*a Mirandolina.*) Signora padrona, vi riverisco.   15

Ort. (*fa cenno a Deianira, che si sostenga.*) * Ehi !

Mir. (*ad Ortensia.*) Permetta ch'io Le baci la mano.

Ort. (*le dà la mano.*) Siete obbligante.   20

2. scaturir non possono = *non possono scaturir. Scaturire,* " to issue," " flow." 9. quanto mi vien da ridere ! *How I feel like laughing!* 12. M'inchino a queste dame, *Ladies, I am at your service.* 13. quella giovane, *young woman.* This pleonastic use of quello with a vocative noun is colloquial and patronizing. 16. fa cenno . . . si sostenga, *signals Deianira to restrain herself.* D.'s greeting to M. was respectfully cordial.

Dei. (*ride da sè.*)

Mir. (*chiede la mano a Deianira.*)　Anche Ella, illustrissima.

Dei. Eh, non importa . . .

Ort. Via, gradite le finezze di questa giovane. 5 Datele la mano.

Mir. La supplico.

Dei. Tenete. (*Le dà la mano, si volta e ride.*)

Mir. Ride, illustrissima ?　Di che ?

Ort. Che cara contessa !　Ride ancora di me. 10 Ho detto uno sproposito, che l'ha fatta ridere.

Mir. (*da sè.*)　(Io giuocherei* che non sono dame.　Se fossero dame, non sarebbero sole.)

Ort. (*a Mirandolina.*)　Circa il trattamento, converrà poi discorrere. 15

Mir. Ma . . . Sono sole ?　Non hanno cavalieri, non hanno servitori, non hanno nessuno ?

Ort. Il barone mio marito . . .

Dei. (*ride forte.*)

Mir. (*a Deianira.*)　Perchè ride, signora ? 20

Ort. Via, perchè ridete ?

Dei. Rido del barone di vostro marito.*

Ort. Sì, è un cavaliere giocoso*; dice sempre delle barzellette; verrà quanto prima col conte Orazio, marito della contessina. 25

Dei. (*fa forza per trattenersi da ridere.*)

Mir. (*a Deianira.*)　La fa ridere anche il signor Conte ?*

---

12. **giuocherei,** *I'll wager.*　Now *scommetterei.*　22. **Rido . . . marito.** D. is using a fairly common pun on the word *barone:* "baron," and also "rascal."　This feeble device to save her face is then continued by Ort. 23. **giocoso,** *comical* or *waggish.*　28. **La fa . . . Conte?**　M.'s questions become increasingly pertinent, or, as Ort. pretends, impertinent.

Ort. Ma via, contessina, tenetevi un poco nel vostro decoro.*

Mir. Signore mie, favoriscano in grazia. Siamo sole, nessuno ci sente. Questa contea, questa baronia, sarebbe mai . . .*

Ort. Che cosa vorreste voi dire ? Mettereste in dubbio * la nostra nobiltà ?

Mir. Perdoni, illustrissima, non Si riscaldi, perchè farà ridere la signora Contessa.

Dei. Eh via, che serve ?

Ort. (*minacciandola.*) Contessa, Contessa !

Mir. (*a Deianira.*) Io so che cosa voleva dire, illustrissima.

Dei. Se l'indovinate, vi stimo assai.*

Mir. Voleva dire: Che serve che fingiamo d'esser due dame, se siamo due pedine ?* Ah ! non è vero ?

Dei. (*a Mirandolina.*) E che sì che * ci conoscete ?

Ort. Che brava commediante ! Non è buona da sostenere un carattere.

Dei. Fuori di scena io non so fingere.

Mir. Brava, signora Baronessa; mi piace il di Lei spirito. Lodo la Sua franchezza.

Ort. Qualche volta mi prendo un poco di spasso.

Mir. Ed io amo infinitamente le persone di spirito. Servitevi pure nella mia locanda, che siete padrone; ma vi prego bene, se mi capitassero

---

2. tenetevi . . . decoro, *please keep your dignity.* 5. sarebbe mai . . . *can it be possible* . . . 7. metteresti in dubbio, *would you cast doubt upon.* 14. Se . . . assai. *If you guess it, I'll think you're clever.* 16. pedine, *commoners.* 18. E che sì che, *Do you really . . . ?*

persone di rango,* cedermi quest'appartamento,
ch'io vi darò dei camerini assai comodi.

Dei. Sì, volentieri.

Ort. Ma io, quando spendo il mio denaro, 5
intendo volere esser servita come una dama, e in
questo appartamento ci sono, e non me ne anderò.

Mir. Via, signora Baronessa, sia buona . . . Oh!
Ecco un cavaliere che è alloggiato in questa
locanda. Quando vede donne, sempre si caccia
avanti. 10

Ort. È ricco?

Mir. Io non so i fatti suoi.

SCENA XXI

Il Marchese e dette.

Mar. È permesso?* Si può entrare?

Ort. Per me è padrone.*

Mar. Servo di Lor signore. 15

Dei. Serva umilissima.

Ort. La riverisco divotamente.

Mar. (*a Mirandolina.*) Sono forestiere?

Mir. Eccellenza sì. Sono venute ad onorare la
mia locanda. 20

Ort. (*da sè.*) (È un'Eccellenza! Capperi!)

Dei. (*da sè.*) (Già, Ortensia lo vorrà* per sè.)

1. **vi prego . . . rango,** *please, if high-ranking persons should come* . . . **Di
rango:** now *di alto rango.* 13. **È permesso?** *May I come in?* 14. **è padrone,** *you are free to do so,* or simply *you may.* This adjectival use of *padrone* is common. 22. **vorrà,** fut. of probability: *will doubtless want.*

Mar. (*a Mirandolina.*)   E chi sono queste signore ?

Mir. Questa è la baronessa Ortensia del Poggio, e questa la contessa Deianira dal Sole.

Mar. Oh compitissime dame !   5

Ort. E Ella chi è, signore ?

Mar. Io sono il marchese di Forlipopoli.

Dei. (*da sè.*) (La locandiera vuol seguitare* a far la commedia.)

Ort. Godo aver l'onore di conoscere un cavaliere 10 così compito.

Mar. Se vi potessi servire, comandatemi. Ho piacere che siate venute ad alloggiare in questa locanda. Troverete una padrona di garbo.

Mir. Questo cavaliere è pieno di bontà. Mi 15 onora della sua protezione.

Mar. Sì certamente. Io la proteggo, e proteggo tutti quelli che vengono nella sua locanda; e, se vi occorre nulla,* comandate.

Ort. Occorrendo, mi prevarrò delle Sue finezze.* 20

Mar. Anche voi, signora Contessa, fate capitale di me.

Dei. Potrò ben chiamarmi felice, se avrò l'alto onore di essere annoverata nel ruolo* delle Sue umilissime serve.   25

Mir. (*ad Ortensia.*) (Ha detto un concetto da commedia.*)

Ort. (*a Mirandolina.*) (Il titolo di Contessa

---

8. **seguitare**, *continue*. 19. **nulla**, *anything*. It often has this meaning in questions, direct or indirect. 20. **mi prevarrò delle Sue finezze**: " I shall take advantage of your kindness "; now *ricorrerò ai Suoi favori* or *alle Sue cortesie*. **Prevarrò**: inf. *prevalere*. 24. **annoverata nel ruolo**, *numbered in the list*. 27. **concetto da commedia**, *a stage cliché*.

l'ha posta in soggezione.) (*Il Marchese tira fuori di tasca un bel fazzoletto di seta, lo spiega,* e finge volersi asciugar la fronte.*)

Mir. Un gran fazzoletto, signor Marchese!

Mar. (*a Mirandolina.*) Ah! Che ne dite? È bello? Sono di buon gusto io? 5

Mir. Certamente è di ottimo gusto.

Mar. (*ad Ortensia.*) Ne avete più veduti di così belli?*

Ort. È superbo. Non ho veduto il compagno. 10 (*Da sè.*) (Se me lo donasse, lo prenderei.)

Mar. (*a Deianira.*) Questo viene da Londra.

Dei. È bello, mi piace assai.

Mar. Son di buon gusto io?

Dei. (*da sè.*) (E non dice a' vostri comandi.)* 15

Mar. M'impegno che il Conte non sa spendere. Getta via il denaro, e non compra mai una galanteria* di buon gusto.

Mir. Il signor Marchese conosce, distingue, sa, vede, intende. 20

Mar. (*piega il fazzoletto con attenzione.*) Bisogna piegarlo bene, acciò non si guasti.* Questa sorta di roba bisogna custodirla con attenzione.* (*Lo presenta a Mirandolina.*) Tenete.

Mir. Vuole ch'io lo faccia mettere* nella Sua 25 camera?

Mar. No. Mettetelo nella vostra.

Mir. Perchè . . . nella mia?

2. **spiega,** *unfolds;* soon will be found its opposite *piega* (" he folds "). 9. **Ne . . . belli?** *Have you ever seen any so beautiful?* 15. **E non . . . comandi,** *And he doesn't say:* " *It's yours.*" 18. **galanteria,** *trinket or present.* 22. **acciò non si guasti,** *so that it won't be spoiled.* 23. **custodirla con attenzione,** *take good care of it.* 25. **la faccia mettere,** *have it placed.*

Mar. Perchè . . . ve lo dono.

Mir. Oh, Eccellenza, perdoni . . .

Mar. Tant'è. Ve lo dono.

Mir. Ma io non voglio.

Mar. Non mi fate andar in collera.   5

Mir. Oh, in quanto a questo poi, il signor Marchese lo sa, io non voglio disgustar nessuno. Acciò non vada in collera, lo prenderò.

Dei. (*ad Ortensia.*) (Oh che bel lazzo !) *

Ort. (*a Deianira.*) (E poi dicono delle comme- 10 dianti !) *

Mar. (*ad Ortensia.*) Ah ! Che dite ? Un fazzoletto di quella sorta, l'ho donato alla mia padrona di casa.

Ort. È un cavaliere generoso.   15

Mar. Sempre così.

Mir. (*da sè.*) (Questo è il primo regalo che mi ha fatto, e non so come abbia avuto * questo fazzoletto.)

Dei. Signor Marchese, se ne trovano di quei 20 fazzoletti in Firenze ? Avrei volontà d'averne uno compagno.

Mar. Compagno di questo sarà difficile; ma vedremo.

Mir. (*da sè.*) (Brava la signora Contessina !)   25

Ort. Signor Marchese, voi che siete pratico della città, fatemi il piacere di mandarmi un bravo calzolaio, perchè ho bisogno di scarpe.

---

9. Oh che bel lazzo ! *Oh what a fine skit (that would make) !* **11. E poi . . . commedianti !** *And yet* (despite such play-acting) *they talk about actresses !* Ort. is still smarting from the failure of her own **lazzo.** **18. come abbia avuto,** *how I got.*

Mar. Sì, vi manderò il mio.

Mir. (Tutte alla vita; ma non ce n'è uno per la rabbia.) *

Ort. Caro signor Marchese, favorirà * tenerci un poco di compagnia. 5

Dei. Favorirà a pranzo con noi.

Mar. Sì, volentieri. (Ehi, Mirandolina, non abbiate gelosia, son vostro, già lo sapete.)

Mir. (*al Marchese.*) (S'accomodi pure *; ho piacere che Si diverta.) 10

Ort. Voi sarete la nostra conversazione.*

Dei. Non conosciamo nessuno. Non abbiamo altri che voi.

Mar. Oh care le mie damine!* Vi servirò di cuore. 15

SCENA XXII

Il Conte e detti.

Con. Mirandolina, io cercava di voi.

Mir. Son qui con queste dame.

Con. Dame? M'inchino umilmente.

Ort. Serva divota. (*Piano a Deianira.*) (Questo è un guasco più badial* di quell'altro.) 20

3. **Tutte ... rabbia.** A very obscure phrase. Construe: They all prey upon him, but he doesn't have a single thing to satisfy their ravenousness (or, to soothe their itching palms). 4. **favorirà,** *you will have the kindness.* 9. **s'accomodi pure,** *Just suit yourself.* 11. **Voi ... conversazione,** *you will stay and converse with us.* 14. **Oh care le mie damine** = *Oh le mie care damine.* Cf. the Shakespearean "Good my ladies." 20. **guasco più badial.** Actors' slang: *Bigger* "swell."

Dei. (*piano ad Ortensia.*) (Ma io non sono buona per miccheggiare.*)

Mar. (*piano a Mirandolina.*) (Ehi! Mostrate al Conte il fazzoletto.)

Mir. (*mostra il fazzoletto al Conte.*) Osservi, 5 signor Conte, il bel regalo che mi ha fatto il signor Marchese.

Con. Oh, me ne rallegro! Bravo, signor Marchese!

Mar. Eh niente, niente. Bagattelle. Riponetelo 10 via; non voglio che lo diciate. Quel che fo, non s'ha da sapere.*

Mir. (*da sè.*) (Non s'ha da sapere, e me lo fa mostrare. La superbia contrasta con* la povertà.)

Con. (*a Mirandolina.*) Con licenza di queste 15 dame, vorrei dirvi una parola.

Ort. S'accomodi con libertà.*

Mar. (*a Mirandolina.*) Quel fazzoletto in tasca lo manderete a male.

Mir. Eh, lo riporrò nella bambagia, perchè non 20 si ammacchi!*

Con. (*a Mirandolina.*) Osservate questo piccolo gioiello di diamanti.

Mir. Bello assai.

Con. È compagno degli orecchini che vi ho 25 donato. (*Ortensia e Deianira osservano e parlano piano fra loro.*)

Mir. Certo è compagno, ma è ancora più bello.

---

2. **miccheggiare**, *fleecing* or "*gold-digging*." Slang. 12. **non s'ha da sapere.** Construe: *non ha da sapersi*, "should not be known." 14. **La superbia contrasta con**, *Pride vies with.* 17. **S'accomodi con libertà**, *please do*. 21. **Eh, lo riporrò...si ammacchi!** *Oh, I'll lay it away in cotton batting, so it won't become soiled.*

Mar. (*da sè.*) (Sia maladetto il Conte, i suoi diamanti, i suoi denari, e il suo diavolo che se lo porti !) *

Con. (*a Mirandolina.*) Ora, perchè abbiate il fornimento compagno,* ecco ch'io vi dono il 5 gioiello.

Mir. Non lo prendo assolutamente.

Con. Non mi farete questa mala creanza.

Mir. Oh ! delle male creanze non ne faccio mai. Per non disgustarla, lo prenderò. (*Ortensia e* 10 *Deianira parlano come sopra, osservando la generosità del Conte.*)

Mir. Ah ! Che ne dice, signor Marchese ! Questo gioiello non è galante ?

Mar. Nel suo genere il fazzoletto è più di buon 15 gusto.

Con. Sì, ma da genere a genere vi è una bella distanza.

Mar. Bella cosa ! Vantarsi in pubblico di una grande spesa. 20

Con. Sì, sì, voi fate i vostri regali in segreto.

Mir. (*da sè.*) (Posso ben dire con verità, questa volta, che fra due litiganti il terzo gode.*)

Mar. E così, damine mie, sarò a pranzo con voi. 25

Ort. (*al Conte.*) Quest'altro signore chi è ?

Con. Sono il Conte d'Albafiorita, per obbedirvi.

---

3. **Sia maledetto il Conte . . . e il suo diavolo che se lo porti !** *A curse on the Count . . . (and) devil take him!* 5. **perchè . . . fornimento compagno,** (now *fornimento uguale*), *so that you may have a companion piece* (or *mate*). 23. **fra due litiganti il terzo gode.** A proverb. Cf. " While two dogs are fighting, a third gets the bone." In America it is sometimes said that the " third dog " is the legal profession. **litiganti,** *litigants.*

Dei. Capperi! È una fam*i*glia illustre, io la conosco. (*Anch'ella s'acc*ɔ*sta al Conte.*)

Con. (*a Deianira.*) Sono a' v*ɔ*stri comandi.

Ort. (*al Conte.*) È qu*i* alloggiato?

Con. Sì, signora.

Dei. (*al Conte.*) Si trattiɛne molto?   5

Con. Credo di sì.

Mar. Signore mie, sarete stanche di stare in piɛdi. Volete ch'io vi sɛrva * nella vɔstra camera?

Ort. (*con disprezzo.*) Obbligat*i*ssima. Di che 10 paeſe è, signɔr Conte?

Con. Napolitano.

Ort. Ɔh! Siamo mɛzzi patriɔtti.* Io sono palermitana.

Dei. Io son romana; ma sono stata a Napoli, e 15 appunto per un mio interɛsse * desiderava parlare con un cavaliɛre napolitano.

Con. Vi servirɔ, signore. Siɛte sole? Non avete uɔmini?

Mar. Ci sono io, signore, e non hanno biſogno 20 di voi.

Ort. Siamo sole, signɔr Conte. Pɔi vi diremo il perchè.

Con. Mirandolina.

Mir. Signore.   25

Con. Fate preparare nella mia camera per tre.* (*Ad Ortɛnsia e Deianira.*) Vi degnerete di favorirmi?

Ort. Riceveremo le vɔstre finezze.

9. **serva,** *accompany,* in this case. 13. **mezzi patriotti,** *almost fellow-countrymen.* 16. **appunto ... interesse,** *it so happens that because of a business matter.* 26. **Fate ... per tre,** *Have my table set for three.*

Mar.   Ma io sono stato invitato da queste dame.

Con.   Esse sono padrone* di servirsi* come comandano, ma alla mia piccola tavola in più di tre non ci si sta.*

Mar.   Vorrei veder anche questa . . .*   5

Ort.   Andiamo, andiamo, signor Conte.   Il signor Marchese ci favorirà un'altra volta. (*Parte.*)

Dei.   Signor Marchese, se trova il fazzoletto, mi raccomando.* (*Parte.*)

Mar.   Conte, Conte, voi me la pagherete.   10

Con.   Di che vi lagnate ?

Mar.   Son chi sono, e non si tratta così.*   Basta. . . . Colei vorrebbe un fazzoletto ?   Un fazzoletto di quella sorta ?   Non l'avrà.   Mirandolina, tenetelo caro.   Fazzoletti di quella sorta non se ne 15 trovano.   Dei diamanti se ne trovano, ma dei fazzoletti di quella sorta non se ne trovano. (*Parte.*)

Mir.   (*da sè.*)   (Oh che bel pazzo !)

Con.   Cara Mirandolina, avrete voi dispiacere ch'io serva queste due dame ?   20

Mir.   Niente affatto, signore.

Con.   Lo faccio per voi.   Lo faccio per accrescer utile ed avventori alla* vostra locanda; per altro io son vostro, è vostro il mio cuore, e vostre sono le mie ricchezze, delle quali disponetene liberamente, 25 che* io vi faccio padrona.   (*Parte.*)

---

2. **padrone,** see p. 38, note 14.   2. **di servirsi,** *to do.*   4. **in più ... si sta,** *there is room for only three persons.*   5. **Vorrei ... questa ...** Supply *offesa: I'd just like to see (you commit) this insult, too !* Or, freely: *Must I stand for this, too !*   9. **mi raccomando,** *don't forget me.*   12. **non si tratta così,** *that's no way to be treated!*   23. **per accrescer utile ed avventori alla,** *to increase business and customers for.*   26. **che,** *for.*

SCENA XXIII

Mirandolina sola.

Con tutte le sue ricchezze, con tutti i suoi regali,
non arriverà mai ad innamorarmi; e molto meno
lo farà il Marchese colla sua ridicola protezione.
Se dovessi attaccarmi ad uno di questi due, certamente lo farei con quello che spende più. Ma non   5
mi preme nè dell'uno nè dell'altro. Sono in impegno d'innamorar il Cavaliere di Ripafratta, e
non darei un tal piacere per un gioiello il doppio
più grande di questo. Mi proverò; non so se avrò
l'abilità che hanno quelle due brave comiche, ma   10
mi proverò. Il Conte ed il Marchese, frattanto
che con quelle si vanno trattenendo,* mi lasce-
ranno in pace; e potrò a mio bell'agio* trattar col
Cavaliere. Possibile ch'ei* non ceda! Chi è
quello che possa resistere ad una donna, quando le   15
dà tempo di poter far uso dell'arte sua? Chi fugge
non può temer d'esser vinto; ma chi si ferma, chi
ascolta, e se ne compiace, deve o presto o tardi a
suo dispetto cadere. (*Parte.*)

12. **frattanto . . . trattenendo,** construe: *frattanto che vanno trattenendosi
con quelle:* " while they are dallying with those girls." 13. **a mio bell'agio,**
at my leisure. 14. **Possibile ch'ei,** construe: *È possibile che egli.*

ATTO SECONDO

SCENA PRIMA

Camera del Cavaliere, con tavola apparecchiata per il pranzo, e sedie.

Il Cavaliere ed il suo servitore, poi Fabrizio. Il Cavaliere passeggia con un libro. Fabrizio mette la zuppa in tavola.

Fab. (*al servitore.*) Dite al vostro padrone, se vuol restare* servito, che la zuppa è in tavola.

Ser. (*a Fabrizio.*) Glielo potete dire anche voi.

Fab. È tanto stravagante che non gli parlo niente volentieri. 5

Ser. Eppure non è cattivo. Non può veder le donne; per altro con gli uomini è dolcissimo.

Fab. (*da sè.*) (Non può veder le donne? Povero sciocco! Non conosce il buono.) (*Parte.*)

Ser. Illustrissimo, se comanda, è in tavola.* 10 (*Il Cavaliere mette giù il libro, e va a sedere a tavola.*)

Cav. (*al servitore, mangiando.*) Questa mattina parmi che si pranzi* prima del solito. (*Il servitore, dietro la sedia del Cavaliere, col tondo sotto il braccio.*) 15

Ser. Questa camera è stata servita prima di tutte. Il signor conte d'Albafiorita strepitava

2. **restare** = *essere.* 10. **se comanda, è in tavola,** *if you please, lunch is served.* 14. **parmi che si pranzi,** *it seems to me that lunch is served.*

48

che voleva essere servito il primo, ma la padrona
ha voluto che si desse in tavola* prima a V. S.
illustrissima.

Cav. Sono obbligato a costei per l'attenzione
che mi dimostra.   5

Ser. È una assai compita donna, illustrissimo.
In tanto mondo che ho veduto, non ho trovato una
locandiera più garbata di questa.

Cav. (*voltandosi un poco indietro.*) Ti piace, eh ?

Ser. Se non fosse per far torto* al mio padrone, 10
vorrei venire a stare con Mirandolina per cameriere.

Cav. Povero sciocco ! Che cosa vorresti ch'ella
facesse di te ? (*Gli dà il tondo, ed egli lo muta.*)

Ser. Una donna di questa sorta, la vorrei servir 15
come un cagnolino. (*Va per un piatto.*)

Cav. Per bacco ! Costei incanta* tutti. Sarebbe da ridere* che incantasse anche me. Orsù,
domani me ne vado a Livorno. S'ingegni* per
oggi, se può, ma si assicuri* che non sono sì debole. 20
Avanti ch'io superi l'avversion per le donne, ci
vuol altro !*

---

2. **ha voluto ... tavola,** *ordered that lunch be served.* 10. **Se non ...
far torto,** *If it weren't (for the fact) that I wouldn't wrong.* 17. **incanta,**
enchants or *charms.* 18. **Sarebbe da ridere,** *It would be funny.* 19. **S'ingegni ... si assicuri.** Imperatives: *Let her do her best ... let her be assured.*
22. **ci vuol altro !** *It will take more (than she can do).*

SCENA II

Il servitore col lesso ed un altro piatto, e detto.

Ser. Ha detto la padrona che, se non Le piacesse il pollastro,* Le manderà un piccione.*

Cav. Mi piace tutto. E questo che cos'è?

Ser. Dice la padrona ch'io le sappia dire* se a
V. S. illustrissima piace questa salsa, che l'ha fatta 5
ella colle sue mani.

Cav. Costei mi obbliga sempre più. (*L'assaggia.*)
È preziosa. Dille che mi piace, che la ringrazio.

Ser. Glielo dirò, illustrissimo.

Cav. Vaglielo a dir* subito.   10

Ser. Subito. (*Da sè.*) (Oh che prodigio!
Manda un complimento a una donna!) (*Parte.*)

Cav. È una salsa squisita. Non ho sentita la
meglio.* (*Va mangiando.*) Certamente, se Mirandolina farà così, avrà sempre de' forestieri. 15
Buona tavola, buona biancheria. E poi non si può
negare che non sia* gentile; ma quel che più
stimo in lei, è la sincerità. Oh, quella sincerità è
pure la bella cosa!* Perchè non posso io vedere le
donne? Perchè sono finte, bugiarde,* lusinghiere. 20
Ma quella bella sincerità . . .

---

2. **pollastro**, *pullet, chicken;* 2. **piccione**, *pigeon, squab.* 4. **Dice** . . .
sappia dire, *The mistress wants me to find out for her.* 10. **Vaglielo a dir**, *Go
tell her.* 14. **la meglio**, *anything better.* 17. **che non sia**, *do not translate
this* **non**. 19. **la bella cosa!** freely, *the best of all!* 20. **bugiarde**, *deceitful,
false.*

SCENA III

Il servitore e detto.

Ser. Ringrazia V. S. illustríssima della bontà
che ha di aggradire le sue debolezze.*

Cav. Bravo, signor cerimoniere,* bravo.

Ser. Ora sta facendo colle sue mani un altro
piatto; ma non so dire che cosa sia.   5

Cav. Sta facendo?

Ser. Sì signore.

Cav. Dammi da bere.

Ser. La servo. (*Va a prendere da bere.*)

Cav. Orsù, con costei bisognerà corrispondere 10
con generosità. È troppo compita; bisogna pagare
il doppio. Trattarla bene, ma andar via presto.
(*Il servitore gli presenta da bere.*) Il Conte è andato
a pranzo? (*Beve.*)

Ser. Illustríssimo sì, in questo momento. Oggi 15
fa trattamento.* Ha due dame a tavola con lui.

Cav. Due dame? Chi sono?

Ser. Sono arrivate a questa locanda poche ore
sono. Non so chi sieno.

Cav. Le conosceva il Conte?   20

Ser. Credo di no; ma, appena le ha vedute, le
ha invitate a pranzo seco.

Cav. Che debolezza! Appena vede due donne,
subito si attacca.* Ed esse accettano. E sa il

---

2. **aggradire le sue debolezze,** *accepting her humble efforts.*   3. **signor
cerimoniere,** *master of ceremonies.*   16. **fa trattamento,** *he is entertaining*
or *has guests.* Now *ha degl'invitati.*   24. **si attacca,** *he is attracted.*

cielo chi sono; ma sieno quali esser vogliono,*
sono donne, e tanto basta. Il Conte si rovinerà
certamente. Dimmi: il Marchese è a tavola?

Ser. È uscito di casa, e non si è ancora veduto.

Cav. In tavola.* (*Fa mutare il tondo.*)   5

Ser. La servo.

Cav. A tavola con due dame! Oh che bella
compagnia! Colle loro smorfie mi farebbero
passar l'appetito.

SCENA IV

Mirandolina con un tondo in mano, il servitore e detto.

Mir. È permesso?   10

Cav. Chi è di là?

Ser. Comandi.

Cav. Leva là quel tondo di mano.*

Mir. Perdoni; lasci ch'io abbia l'onore di
metterlo in tavola colle mie mani. (*Mette in* 15
tavola la vivanda.)

Cav. Questo non è offizio vostro.

Mir. Oh signore, chi son io? Una qualche
signora?* Sono una serva di chi favorisce venire
alla mia locanda.   20

Cav. (*da sè.*) (Che umiltà!)

Mir. In verità, non avrei difficoltà di servire in

---

1. ma sieno . . . vogliono, *but regardless of who they are.* 5. **In tavola,**
Waiter! 13. **Leva là quel tondo di mano,** i.e., *di Mirandolina.* " Relieve
her of that dish." 19. **Una qualche signora?** *One of your fine ladies?*

tavola tutti, ma non lo faccio per certi riguardi *;
non so s'Ella mi capisca. Da Lei vengo senza
scrupoli, con franchezza.

Cav. Vi ringrazio. Che vivanda è questa ?

Mir. Egli * è un intingoletto fatto colle mie 5
mani.

Cav. Sarà buono.* Quando lo avete fatto voi,
sarà buono.

Mir. Oh! troppa bontà, signore. Io non so
far niente di bene; ma bramerei saper fare,* per 10
dar nel genio * ad un cavalier sì compito.

Cav. (*da sè.*) (Domani a Livorno.) Se avete
che fare, non istate a disagio per me.*

Mir. Niente, signore: la casa è ben provveduta
di cuochi * e servitori. Avrei piacer di sentire se 15
quel piatto Le dà nel genio.

Cav. Volentieri, subito. (*Lo assaggia.*) Buono,
prezioso. Oh che sapore ! Non conosco che
cosa sia.

Mir. Eh io, signore, ho de' secreti particolari.* 20
Queste mani sanno far delle belle cose !

Cav. (*al servitore, con qualche passione.*) Dammi
da bere.

Mir. Dietro questo piatto, signore, bisogna
beverlo buono.*
                                         25

Cav. (*al servitore.*) Dammi del vino di Borgogna.

---

1. **per certi riguardi,** *for certain reasons.* 5. **Egli:** now *esso* or *questo,* in
this sense. 7. **Sarà buono,** *It must be good.* 10. **fare:** understand *qualche
cosa.* 11. **dar nel genio** = *far piacere.* 13. **non istate a disagio per me,**
don't put yourself out for me. 15. **cuochi,** *cooks.* 20. **secreti particolari,**
recipes of my own. 25. **Dietro ... buono,** *This delicacy deserves good
wine with it.*

Mir. Bravissimo. Il vino di Borgogna è prezioso. Secondo me, per pasteggiare* è il miglior
vino che si possa bere.

(*Il servitore presenta la bottiglia in tavola con un
bicchiere*.) 5

Cav. Voi siete di buon gusto in tutto.

Mir. In verità, che* poche volte m'inganno.

Cav. Eppure questa volta voi v'ingannate.

Mir. In che, signore ?

Cav. In credere ch'io meriti d'essere da voi 10
distinto.

Mir. (*sospirando*.)* Eh, signor Cavaliere...

Cav. (*alterato*.) Che cosa c'è ? Che cosa sono
questi sospiri ?

Mir. Le dirò: delle attenzioni ne uso a tutti, e 15
mi rattristo* quando penso che non vi sono che
ingrati.

Cav. (*con placidezza*.)* Io non vi sarò ingrato.

Mir. Con Lei non pretendo di acquistar merito,
facendo unicamente il mio dovere. 20

Cav. No, no, conosco benissimo... Non sono
cotanto rozzo* quanto voi mi credete. Di me non
avrete a dolervi.

(*Versa il vino nel bicchiere*.)

Mir. Ma... signore... io non L'intendo... 25

Cav. Alla vostra salute. (*Beve*.)

Mir. Obbligatissima; mi onora troppo.

Cav. Questo vino è prezioso.

Mir. Il Borgogna è la mia passione.

---

2. **per pasteggiare**, *as a table wine*. 7. **che**, omit. 12. **sospirando**,
sighing. 16. **mi rattristo**, *I grow sad*. 18. **con placidezza**, *calmly*.
22. **rozzo**, *uncouth*.

Cav. Se volete, siɛte padrona. (*Le offerisce il vino.*)

Mir. Ɔh! Grazie, signore.

Cav. Avete pranzato?

Mir. Illustríssimo sì.   5

Cav. Ne volete un bicchierino?

Mir. Io non mɛrito queste grazie.

Cav. Davvero, ve lo dɔ volentiɛri.

Mir. Non sɔ che dire. Riceverɔ le Sue finezze.

Cav. (*al servitore.*) Pɔrta un bicchiɛre.   10

Mir. Nɔ, nɔ. Se mi permette, prenderɔ questo. (*Prɛnde il bicchiɛre del Cavaliɛre.*)

Cav. Oibɔ! Me ne sono servito io.

Mir. (*ridɛndo.*) Beverɔ le Sue bellezze.*

(*Il servitore mette l'altro bicchiɛre nella sotto-* 15 *cɔppa.*)

Cav. Eh galeɔtta!* (*Vɛrsa il vino.*)

Mir. Ma è qualche tɛmpo che hɔ **mangiato;** hɔ timore che mi faccia male.

Cav. Non vi è perícolo.   20

Mir. Se mi favorisse un bocconcino* di pane ...

Cav. Volentiɛri. (*Le dà un pɛzzo di pane.*) Tenete.

(*Mirandolina, col bicchiɛre in una mano, e nell'altra il pane, mɔstra di stare in disagio* e non* 25 *saper come fare la zuppa.**)

Cav. Voi state in disagio. Volete sedere?

---

14. **Beverò le Sue bellezze,** *I shall drink to your good looks.* A punning phrase, which among Venetians means to drink what is left in the glass. 17. **galeotta,** *rogue. Galeotto* literally means convict or galley-slave. 21. **bocconcino,** *bite.* 25. **mostra ... disagio,** *pretends to be ill at ease.* 26. **fare la zuppa,** *to make a sop, to "dunk."* This is an acceptable practise in some European countries.

Mir. Oh! Non son degna di tanto, signore.

Cav. Via, via, siamo soli. (*Al servitore.*) Portale una sedia.

Ser. (*da sè.*) (Il mio padrone vuol* morire; non ha mai fatto altrettanto.) (*Va a prendere la* 5 *sedia.*)

Mir. Se lo sapessero il signor Conte ed il signor Marchese, povera me!

Cav. Perchè?

Mir. Cento volte mi hanno voluto* obbligare a 10 bere qualche cosa, o a mangiare, e non ho mai voluto* farlo.

Cav. Via, accomodatevi.*

Mir. Per obbedirla.* (*Siede, e fa la zuppa nel vino.*) 15

Cav. Senti. (*Al servitore, piano.*) (Non lo dire a nessuno che la padrona sia stata a sedere alla mia tavola.)

Ser. (*piano.*) (Non dubiti.) (*Da sè.*) (Questa novità mi sorprende.) 20

Mir. Alla salute di tutto quello che dà piacere al signor Cavaliere.

Cav. Vi ringrazio, padroncina garbata.

Mir. Di questo brindisi alle donne non ne tocca.* 25

Cav. No? Perchè?

Mir. Perchè so che le donne non le può vedere.

---

4. **vuol,** *is about to.* Cf. *vuol partire,* etc., in stage directions. 10. **voluto . . . voluto,** *tried . . . been willing* (or, negatively, *I refused*). In the present perfect, *volere* frequently has one of these meanings. 13. **accomodatevi,** *sit down.* 14. **Per obbedirla,** *Thank you.* 25. **Di questo . . . tocca.** Construe: *Alle donne non tocca affatto questo brindisi;* "In no wise does this toast concern women."

Cav. È vero, non le hɔ mai potute vedere.

Mir. Si conservi sempre così.*

Cav. Non vorrɛi ... (*Si guarda dal* * *servitore.*)

Mir. Che cɔsa, signore ?

Cav. Sentite. (*Le parla nell'orecchio.*)   (Non 5 vorrɛi che voi mi faceste mutɑr natura.)

Mir. Io, signore ? Come ?

Cav. (*al servitore.*) Va' via.

Ser. Comanda in tɑvola ?*

Cav. Fammi cucinare due uɔva e, quando son 10 cɔtte, pɔrtale.

Ser. Come le comanda le uɔva ?

Cav. Come vuɔi, spɪcciati.*

Ser. Hɔ inteso. (*Da sè.*)   (Il padrone si va riscaldando.) (*Parte.*)   15

Cav. Mirandolina, voi siɛte una garbata gio-vine.

Mir. Oh signore, mi burla.

Cav. Sentite. Vɔglio dirvi una cɔsa vera, verɪs-sima, che ritornerà in vɔstra glɔria.*   20

Mir. La sentirɔ volentiɛri.

Cav. Voi siɛte la prima dɔnna di questo mondo, con cui hɔ avuto la sofferɛnza di trattɑr con piacere.

Mir. Le dirɔ, signɔr Cavaliɛre: non già ch'io mɛriti niɛnte, ma alle vɔlte si dànno questi sɑngui * 25 che s'incɔntrano. Questa simpatia, questo gɛnio, si dà anche fra persone che non si conɔscono. Anch'io prɔvo per Lɛi quello che non hɔ sentito per alcɑn altro.

2. Si ... così, *May you always remain thus.* 3. Si guarda da, *he is wary of.* 9. Comanda in tavola? *Do you wish something?* 13. spicciati, *hurry up.* 20. ritornerà ... gloria, *will be to your credit.* 25. si dànno questi sangui, freely, *there are such kindred souls.*

Cav. Hɔ paura che voi mi vogliate far perdere la mia quiɛte.

Mir. Ɔh via, signor Cavaliɛre, se è un uɔmo savio, ɔperi da suo pari.* Non dia* nelle debolezze degli altri. In verità, se me n'accɔrgo, qu*i* non ci 5 vɛngo più. Anch'io mi sɛnto un non sɔ che di dentro, che non hɔ più sentito; ma non vɔglio impazzire per uɔmini, e molto meno per uno che ha in ɔdio le dɔnne; e che forse forse, per provarmi, e pɔi burlarsi di me, viɛne ora con un discorso nuɔvo* 10 a tentarmi. Signor Cavaliɛre, mi favorisca un altro pɔco di Borgogna.

Cav. Eh! Basta... (*Vɛrsa il vino in un bicchiɛre.*)

Mir. (*da sè.*) (Sta lì lì* per cadere.)   15

Cav. (*le dà il bicchiɛre col vino.*) Tenete.

Mir. Obbligat*i*ssima. Ma Ella non beve?

Cav. Sì, beverɔ. (*Da sè.*) (Sarɛbbe mɛglio ch'io mi ubbriacassi. Un di*a*volo scaccerɛbbe l'altro.) (*Vɛrsa il vino nel suo bicchiɛre.*)   20

Mir. (*con vezzo.*) Signor Cavaliɛre.

Cav. Che c'è?

Mir. Tocchi. (*Gli fa toccare il bicchiɛre col suo.*) Che v*i*vano* i buɔni amici.

Cav. (*un pɔco languɛnte.**) Che v*i*vano.   25

Mir. Viva... chi si vuɔl bɛne* ... sɛnza mal*i*zia. Tocchi.

Cav. Evviva...!

4. **operi da suo pari,** *act like one.* 4. **Non dia,** *do not fall.* 10. **un discorso nuovo,** *a new "line" of talk.* 15. **Sta lì lì,** *he is on the verge.* 24. **Che vivano,** *Here's to* ... *Viva* (or *Evviva*) also means "bravo," "hurrah (for)." 25. **languente,** *tenderly.* 26. **Viva...chi si vuol bene,** *Here's to* ... *those who like one another.* English *to love* usually translates either *amare* or *voler bene,* but the latter is restricted to familiar or friendly affection.

SCENA V

Il Marchese e detti.

Mar. Son qui ancor io. E che « viva » ?

Cav. (*alterato.*) Come, signor Marchese ?

Mar. Compatite, amico. Ho chiamato. Non c'è nessuno.*

Mir. Con Sua licenza ... (*Vuol andar via.*)* 5

Cav. (*a Mirandolina.*) Fermatevi. (Al Marchese.) Io non mi prendo con voi cotanta libertà.

Mar. Vi domando scusa. Siamo amici. Credeva che foste solo. Mi rallegro vedervi accanto* alla nostra adorabile padroncina. Ah ! Che dite ? 10 Non è un capo d'opera ? *

Mir. Signore, io era qui per servire il signor Cavaliere. Mi è venuto un poco di male, ed egli mi ha soccorso* con un bicchierin di Borgogna.

Mar. (*al Cavaliere.*) È Borgogna quello ? 15

Cav. Sì, è Borgogna.

Mar. Ma di quel vero ? *

Cav. Almeno l'ho pagato per tale.

Mar. Io me n'intendo. Lasciate che lo senta, e vi saprò dire se è, o se non è. 20

Cav. (*chiama.*) Ehi !

4. **Non c'è nessuno.** The Marquis knocked at the door, and called, but got no answer, as the Knight's valet had been sent away. 5. **Vuol andar via.** See p. 56, note 4. 9. **vedervi accanto,** *to see you* (*sitting*) *beside*. 11. **capo d'opera,** *masterpiece.* Now *capolavoro*. 14. **mi ha soccorso,** etc. Quick-witted Mirandolina ! It is she who now " rescues " the Knight from an embarrassing situation. 17. **di quel vero?** *the real thing?*

SCENA VI

Il servitore colle ɔva, e detti.

Cav. (*al servitore.*) Un bicchierino al Marchese.

Mar. Non tanto piccolo il bicchierino. Il Borgogna non è liquore. Per giudicarne bisogna beverne a sufficienza.

Ser. Ecco le ɔva. (*Vuɔl metterle in tavola.*) 5

Cav. Non vɔglio altro.

Mar. Che vivanda è quella?

Cav. Ɔva.

Mar. Non mi piacciono. (*Il servitore le pɔrta via.*) 10

Mir. Signor Marchese, con licenza del signor Cavaliere, senta quell' intingoletto fatto colle mie mani.

Mar. Ɔh sì. Ehi! Una sedia. (*Il servitore gli reca una sedia e mette il bicchiere sulla sottocɔppa.*) 15 Una forchetta.

Cav. Via, recagli úna posata!* (*Il servitore la va a prendere.**)

Mir. Signor Cavaliere, ora stɔ meglio. Me n'anderɔ. (*S'alza.*) 20

Mar. Fatemi il piacere, restate ancora un pɔco.

Mir. Ma, signore, hɔ da attendere a' fatti miei; e pɔi il signor Cavaliere . . .

Mar. (*al Cavaliere.*) Vi contentate ch'ella resti ancora un pɔco? 25

Cav. Che volete da lei?

17. **posata,** *cover* (knife, fork, etc.).   18. **la va a prendere,** *goes and gets it.*

Mar. Voglio farvi sentire un bicchierino di vin di Cipro, che, da che siete al mondo,* non avrete sentito il compagno. E ho piacere che Mirandolina lo senta, e dica il suo parere.*

Cav. (*a Mirandolina.*) Via, per compiacere il 5 signor Marchese, restate.

Mir. Il signor Marchese mi dispenserà.

Mar. Non volete sentirlo ?

Mir. Un'altra volta, Eccellenza.

Cav. Via, restate.   10

Mir. (*al Cavaliere.*) Me lo comanda ?

Cav. Vi dico che restiate.

Mir. (*siede.*) Obbedisco.

Cav. (*da sè.*) (Mi obbliga sempre più.)

Mar. (*mangiando.*) Oh che roba ! Oh che 15 intingolo ! Oh che odore ! Oh che sapore !

Cav. (*piano a Mirandolina.*) (Il Marchese avrà gelosia che siate vicina a me.)

Mir. (*piano al Cavaliere.*) (Non m'importa di lui nè poco, nè molto.)   20

Cav. (*piano a Mirandolina.*) (Siete anche voi nemica degli uomini ?)

Mir. (*come sopra.*) (Come Ella lo è* delle donne.)

Cav. (*come sopra.*) (Queste mie nemiche si 25 vanno vendicando* di me.)

Mir. (*come sopra.*) (Come, signore ?)

Cav. (*come sopra.*) (Eh ! furba !* Voi vedrete benissimo . . .)

---

2. da che siete al mondo, *in all your life.* 4. parere, *opinion.* 23. Come Ella lo è, *As you are.* The *lo* refers to *nemica*, "enemy." 26. si vanno vendicando = *vanno vendicandosi.* 28. furba, *rascal.*

Mar. Amico, alla vostra salute. (*Beve il vino di Borgogna.*)

Cav. Ebbene? Come vi pare?

Mar. Con vostra buona grazia,* non val niente. Sentite il mio vin di Cipro. 5

Cav. Ma dov'è questo vino di Cipro?

Mar. L'ho qui, l'ho portato con me, voglio che ce lo godiamo: ma! è di quello!* . . . Eccolo. (*Tira fuori una bottiglia assai piccola.*)

Mir. Per quel che vedo, signor Marchese, non 10 vuole che il Suo vino ci vada alla testa.

Mar. Questo? Si beve a gocce,* come lo spirito di melissa. Ehi? Li bicchierini. (*Apre la bottiglia.*)

Ser. (*porta dei bicchierini da vino di Cipro.*) 15

Mar. Eh, son troppo grandi. Non ne avete di più piccoli? (*Copre la bottiglia colla mano.*)

Cav. (*al servitore.*) Porta quei da rosolio.*

Mir. Io credo che basterebbe odorarlo.

Mar. (*lo annasa.**) Uh caro! Ha un odor che 20 consola.

Ser. (*porta tre bicchierini sulla sottocoppa.*)

Mar. (*versa pian piano, e non empie* li bic-chierini, poi li dispensa al Cavaliere, a Mirandolina, e l'altro per sè, turando* bene la bottiglia.*) Che 25 nettare!* (*Bevendo.*) Che ambrosia! Che manna distillata!

---

4. **Con . . . grazia,** *With your permission,* or *Begging your pardon.* 8. **è di quello.** Construe: *è di quel vero:* " it's the real stuff." 12. **a gocce,** *drop by drop.* 18. **quei da rosolio,** *the cordial glasses.* 20. **annasa,** *smells.* Now *annusa.* 23. **versa . . . non empie,** *he pours very slowly, and does not fill.* 25. **turando,** *corking.* 26. **nettare,** *nectar.*

Cav. (*a Mirandolina, piano.*)   (Che vi pare di questa porcheria ?) *

Mir. (*al Cavaliere, piano.*)   (Lavature di fiaschi.)

Mar. (*al Cavaliere.*)   Ah ! Che dite ?   5

Cav. Buono, prezioso.

Mar. Ah ! Mirandolina, vi piace ?

Mir. Per me, signore, non posso dissimulare; non mi piace, lo trovo cattivo, e non posso dir che sia buono. Lodo chi sa fingere. Ma chi sa fingere 10 in una cosa, saprà fingere nell'altre ancora.

Cav. (*da sè.*)   (Costei mi dà un rimprovero *; non capisco il perchè.)

Mar. Mirandolina, voi di questa sorta di vini non ve ne intendete. Vi compatisco. Veramente 15 il fazzoletto che vi ho donato, l'avete conosciuto e vi è piaciuto *; ma il vin di Cipro non lo conoscete. (*Finisce di bere.*)

Mir. (*al Cavaliere, piano.*)   (Sente come si vanta ?)   20

Cav. (*a Mirandolina, piano.*)   (Io non farei così.)

Mir. (*come sopra.*)   (Il di Lei vanto sta nel disprezzare le donne.)

Cav. (*come sopra.*)   (E il vostro nel vincere 25 tutti gli uomini.)

Mir. (*con vezzo al Cavaliere, piano.*)   (Tutti no.)

---

2. **Che ... porcheria?** *What do you think of this wretched stuff?* (See also note 17.) The Knight's judgment smacks of rivalry. Mirandolina astutely agrees with him, replying " Dishwater." (**fiaschi,** *wine bottles.*) 12. **mi dà un rimprovero,** *is rebuking me.* 17. **l'avete ... è piaciuto,** *you appreciated and liked it.* **Piacere, parere** and similar verbs are impersonal in Italian.

Cav. (*con qualche passione, piano a Miran-dolina.*) (Tutti sì.)

Mar. Ehi? Tre bicchierini politi! (*Al servitore, il quale glieli porta sopra una sottocoppa.*)

Mir. Per me non ne voglio più. 5

Mar. No, no, non dubitate; non faccio per voi. (*Mette del vino di Cipro nei tre bicchierini.*) Galantuomo,* con licenza del vostro padrone, andate dal conte * d'Albafiorita e ditegli per parte mia,* forte, che tutti sentano, che lo prego di assaggiare 10 un poco del mio vino di Cipro.

Ser. Sarà servita. (*Da sè.*) (Questo non li ubbriaca * certo.) (*Parte.*)

Cav. Marchese, voi siete assai generoso.

Mar. Io? Domandatelo a Mirandolina. 15

Mir. Oh certamente!

Mar. (*a Mirandolina.*) L'ha veduto il fazzoletto il Cavaliere?*

Mir. Non lo ha ancora veduto.

Mar. (*al Cavaliere.*) Lo vedrete. (*Ripone la* 20 *bottiglia con un dito di vino avanzato.*) Questo poco di balsamo me lo salvo * per questa sera.

Mir. Badi che non gli * faccia male, signor Marchese.

Mar. (*a Mirandolina.*) Eh! Sapete che cosa 25 mi fa male?

Mir. Che cosa?

8. **Galantuomo.** (Patronizing.) *My good man.* 9. **dal conte.** See p. 4, note 13. 9. **ditegli per parte mia,** *tell him for me.* 13. **ubbriaca =** *ubbriacherà,* "will intoxicate." 18. **L'ha ... Cavaliere?** Construe: *Il Cavaliere ha veduto il fazzoletto?* 21. **un dito ... avanzato,** *about an inch of wine left.* 22. **Questo ... salvo,** (now *serbo*), *I'll save this bit of balm.* 23. **gli = Le.**

Mar. I vɔstri begli ɔcchi.

Mir. Davvero?

Mar. Cavaliere mio, io sono innamorato di costei perdutamente.*

Cav. Me ne dispiace.   5

Mar. Voi non avete mai provato amor per le dɔnne. ɔh! se lo provaste, compatireste ancora me.

Cav. Sì, vi compatisco.

Mar. E son geloso come una bestia. La lascio 10 stare vicino a voi, perchè sɔ chi siɛte; per altro* non lo soffrirɛi per centomila dɔppie. *moneta d'oro*

Cav. (*da sè.*) (Costui princɩpia a seccarmi.)

SCENA VII

Il servitore con una bottiglia sulla sottocɔppa, e detti.

Ser. (*al Marchese.*) Il signor Conte ringrazia V. E., e Le manda una bottiglia di vino di Ca- 15 narie.

Mar. ɔh, ɔh, vorrà mettere* il suo vin di Canarie col mio vino di Cipro? Lascia vedere. Pɔvero pazzo! ɛ una porcheria, lo conosco all'odore. (*S'alza e tiɛne la bottiglia in mano.*)   20

Cav. (*al Marchese.*) Assaggiatelo prima.

Mar. Non vɔglio assaggiar niɛnte. Questa è una impertinɛnza che mi fa il Conte, compagna di

---

4. **perdutamente,** *desperately.*   11. **per altro,** *otherwise.*   17. **vorrà mettere** is a fut. of possibility: *Can it be that he wishes to compare...?*

tante altre. Vuol sempre starmi al di sopra.* Vuol
soverchiarmi, vuol provocarmi, per farmi far delle
bestialità.* Ma, giuro al cielo, ne farò una che
varrà per cento.* Mirandolina, se non lo cacciate
via, nasceranno delle cose grandi,* sì, nasceranno 5
delle cose grandi. Colui è un temerario.* Io son
chi sono, e non voglio soffrire simili affronti.
(*Parte, e porta via la bottiglia.*)

SCENA VIII

Il Cavaliere, Mirandolina ed il servitore.

Cav. Il povero Marchese è pazzo.

Mir. Se a caso mai la bile gli facesse male,* 10
ha portato via la bottiglia per ristorarsi.*

Cav. È pazzo, vi dico. E voi lo avete fatto
impazzare.

Mir. Sono di quelle che fanno impazzare gli
uomini? 15

Cav. (*con affanno.*)* Sì, voi siete . . .

Mir. (*s'alza.*) Signor Cavaliere, con Sua licenza.

Cav. Fermatevi.

Mir. (*andando.*) Perdoni; io non faccio im- 20
pazzare nessuno.

1. **starmi al di sopra,** freely; *get the better of me.* 3. **per . . . bestialità,**
to make me commit some rash acts. Cf. French *bêtise.* 4. **ne farò . . .**
cento, *I will commit one that will be as good as a hundred.* 5. **nasceranno**
delle cose grandi, *there is going to be a big row.* 6. **temerario,** *insolent*
fellow. 10. **Se . . . male,** *In case his anger should make him ill.* 11. **per**
ristorarsi, *as a tonic.* 16. **con affanno,** *troubled.*

Cav. Ascoltatemi.   (*S'alza, ma resta presso alla tavola.*)

Mir. (*andando.*) Scusi.

Cav. (*con imperio.*) * Fermatevi, vi dico.

Mir. (*con alterezza, voltandosi.*) Che pretende 5 da me ?

Cav. Nulla. (*Si confonde.*) Beviamo un altro bicchier di Borgogna.

Mir. Via, signore, presto, presto, che * me ne vada.   10

Cav. Sedete.

Mir. In piedi, in piedi.

Cav. (*con dolcezza le dà il bicchiere.*) Tenete.

Mir. Faccio un brindisi, e me ne vado subito. Un brindisi che mi ha insegnato mia nonna.   15

> Viva Bacco, e viva amore!
> L'uno e l'altro ci consola;
> Uno passa per la gola, *
> L'altro va dagli occhi al cuore.
> Bevo il vin, cogli occhi poi . . .   20
> Faccio quel che fate voi.
>
>   (*Parte.*)

4. **con imperio,** *imperiously.* 9. **che** = *perchè.* 18. **gola,** *throat.*

SCENA IX

Il Cavaliere ed il servitore.

Cav. Bravissima! Venite qui; sentite. Ah malandrina!* Se n'è fuggita. Se n'è fuggita, e mi ha lasciato cento diavoli che mi tormentano.

Ser. (*al Cavaliere.*) Comanda le frutta in tavola? 5

Cav. Va' al diavolo ancor tu. (*Il servitore parte.*) *Bevo il vin, cogli occhi poi, faccio quel che fate voi.* Che brindisi misterioso è questo? Ah maladetta, ti conosco. Mi vuoi abbattere, mi vuoi assassinare. Ma lo fa con tanta grazia! Ma sa così bene in- 10 sinuarsi ... Diavolo, diavolo! me la farai tu ve- dere?* No, anderò a Livorno. Costei non la voglio più rivedere. Che non mi venga più tra i piedi.* Maledettissime donne! Dove vi sono donne, lo giuro, non vi anderò mai più. (*Parte.*) 15

SCENA X

Camera del Conte.

Il Conte d'Albafiorita, Ortensia e Deianira.

Con. Il marchese di Forlipopoli è un carattere curiosissimo. È nato nobile, non si può negare;

2. malandrina, *rascal.* 12. me la farai tu vedere? *are you going to
"show me up"?* 14. Che ... piedi, *She had better not get in my way again.*

ma fra suo padre e lui hanno dissipato, ed ora non *
ha appena da vivere. Tuttavolta gli piace fare il
grazioso.*

Ort. Si vede che vorrebbe essere generoso, ma
non ne ha.   5

Dei. Dona quel poco che può, e vuole che tutto
il mondo lo sappia.

Con. Questo sarebbe un bel carattere per una
delle vostre commedie.

Ort. Aspetti che arrivi la compagnia, e che si 10
vada in teatro, e può darsi che ce lo godiamo.*

Dei. Abbiamo noi dei personaggi, che per imitar * i caratteri sono fatti a posta.*

Con. Ma se volete che ce lo godiamo, bisogna
che con lui seguitiate a fingervi dame.   15

Ort. Io lo farò certo. Ma Deianira subito dà di
bianco.*

Dei. Mi vien da ridere,* quando i gonzi mi
credono una signora.

Con. Con me avete fatto bene a scoprirvi. 20
In questa maniera mi date campo * di far qualche
cosa in vostro vantaggio.

Ort. Il signor Conte sarà il nostro protettore.

Dei. Siamo amiche, goderemo unitamente * le
di Lei grazie.   25

Con. Vi dirò. Vi parlerò con sincerità. Vi

---

1. **non** is used incorrectly; omit. 3. **Tuttavolta ... grazioso,** *And yet
he likes to play the lady-killer.* (Now *tuttavia.*) 11. **può darsi ... godiamo,** *it may be that we can have some fun with him* (i. e., burlesque him on
the stage.) 13. **imitar,** *impersonate;* **fatti a posta,** "*cut out.*" 17. **dà
di bianco,** theatrical slang: *drops her mask.* 18. **Mi vien da ridere,** *I
have to laugh.* 21. **mi date campo,** *you give me an opportunity.* (Now
mi date modo.) 24. **unitamente,** *jointly.*

servirò dove potrò farlo, ma ho un certo impegno
che non mi permetterà frequentare la vostra casa.

Ort. Ha qualche amoretto,* signor Conte ?

Con. Sì, ve lo dirò in confidenza. La padrona
della locanda. 5

Ort. Capperi ! Veramente una gran signora !
Mi maraviglio di Lei, signor Conte, che Si perda
con una locandiera !

Dei. Sarebbe minor male che Si compiacesse
d'impiegare* le Sue finezze per una comica. 10

Con. Il far all'amor con voi altre, per dirvela, mi
piace poco. Ora ci siete, ora non ci siete.

Ort. Non è meglio così, signore ? In questa
maniera non si eternano* le amicizie, e gli uomini
non si rovinano. 15

Con. Ma io, tant'è, sono impegnato; le voglio
bene, e non la vo' disgustare.

Dei. Ma che cosa ha di buono costei ?

Con. Oh ! Ha del buono assai.

Ort. Ehi, Deianira. È bella, rossa. (*Fa cenno* 20
che si belletta.) *

Con. Ha un grande spirito.*

Dei. Oh, in materia di spirito, la vorreste metter
con noi ?

Con. Ora basta. Sia come esser si voglia,* 25
Mirandolina mi piace; e se volete la mia amicizia,
avete a dirne bene, altrimenti* fate conto di non
avermi mai conosciuto.

---

3. amoretto, *love affair.* 10. Sarebbe ... d'impiegare, *It wouldn't
be so bad if you should care to bestow.* 14. non si eternano, *are not prolonged
indefinitely.* 21. Fa cenno che si belletta, (now *s'imbelletta*), *pantomime
of putting on rouge.* 22. Ha un grande spirito, *she is very clever.* 25. Sia
come esser si voglia, *however she may be.* 27. altrimenti, *otherwise.*

Ort. Oh, signor Conte, per me dico che Mirandolina è una dea Venere.

Dei. Sì, sì, è vero.   Ha dello spirito, parla
bene.

Con. Ora mi date gusto.   5

Ort. Quando non vuol altro,* sarà servito.

Con. (*osservando dentro la scena.**) Oh! Avete
veduto quello ch'è passato per sala ?

Ort. L'ho veduto.

Con. Quello è un altro bel carattere da com- 10
media.

Ort. In che genere ?

Con. È uno che non può vedere le donne.

Dei. Oh che pazzo !

Ort. Avrà qualche brutta memoria * di qualche 15
donna.

Con. Oibò ! non è mai stato innamorato.   Non
ha mai voluto trattar con donne.   Le sprezza *
tutte, e basta dire che egli disprezza ancora Mirandolina.   20

Ort. Poverino! Se mi ci mettessi attorno io,*
scommetto lo farei cambiare opinione.

Dei. Veramente una gran cosa ! Questa è
un'impresa che la vorrei pigliare sopra di me.

Con. Sentite, amiche.   Così, per puro diverti- 25
mento.   Se vi dà l'animo d'innamorarlo, da
cavaliere,* vi faccio un bel regalo.

---

6. **quando . . . altro,** *if that is all you want.* 7. **dentro la scena,** *behind
the scenes.* 15. **Avrà . . . memoria,** *he probably has some unpleasant memory.*
18. **sprezza,** *despises.* 21. **Se . . . io,** *If I set myself to it.* 27. **Se . . .
da cavaliere,** *if you have a mind to make him fall in love, (then) on my
honor as a gentleman.*

Ort. Io non intendo essere ricompensata per questo; lo farò per mio spasso.

Dei. Se il signor Conte vuol usarci qualche finezza, non l'ha da fare per questo. Sinchè* arrivano i nostri compagni, ci divertiremo un poco. 5

Con. Dubito che non farete niente.

Ort. Signor Conte, ha ben poca stima di noi.

Dei. Non siamo vezzose come Mirandolina; ma finalmente sappiamo qualche poco il viver del mondo. 10

Con. Volete che lo mandiamo a chiamare ?*

Ort. Faccia come vuole.

Con. Ehi ! Chi è di là ?

SCENA XI

Il servitore del Conte e detti.

Con. (*al servitore.*) Di' al Cavaliere di Ripafratta che favorisca venir da me, che mi preme 15 parlargli.

Serv. Nella sua camera so che non c'è.

Con. L'ho veduto andar verso la cucina. Lo troverai.

Serv. Subito. (*Parte.*) 20

Con. (*da sè.*) (Che mai è andato a far verso la cucina ? Scommetto che è andato a strapazzare

4. **Sinchè,** *until.* 11. **Volete ... chiamare ?** *Do you want me to* (or *shall we*) *send for him?*

Mirandolina, perchè gli ha dato mal da mangiare.*)

Ort. Signor Conte, io aveva pregato il signor Marchese che mi mandasse il suo calzolaro, ma ho paura di non vederlo. 5

Con. Non pensate altro.* Vi servirò io.

Dei. A me aveva il signor Marchese promesso un fazzoletto. Ma! ora me lo porta!*

Con. De' fazzoletti ne troveremo.

Dei. Egli è che ne avevo proprio di bisogno.* 10

Con. (*le offre il suo di seta.*) Se questo vi gradisce, siete padrona.* È pulito.

Dei. Obbligatissima alle Sue finezze.

Con. Oh! Ecco il Cavaliere. Sarà meglio che sostenghiate il carattere di dame, per poterlo 15 meglio obbligare ad ascoltarvi per civiltà. Ritiratevi un poco indietro; chè, se vi vede, fugge.

Ort. Come si chiama?

Con. Il Cavaliere di Ripafratta, toscano.

Dei. Ha moglie? 20

Con. Non può vedere le donne.

Ort. (*ritirandosi.*) È ricco?

Con. Piuttosto.

Dei. Venga, venga. (*Si ritira.*)

Ort. Tempo,* e non dubiti. (*Si ritira.*) 25

---

2. mal da mangiare, *poor food.* 6. **Non pensate altro** = *Non ci pensate più.* 8. **Ma! ora me lo porta!** Ironical. *He'll bring it to me, all right!* 10. **Egli è . . . bisogno,** *The fact is that I really needed one.* 12. **siete padrona,** *you are welcome to it.* 25. **Tempo,** *Give me time.*

SCENA XII

Il Cavaliere e detti.

Cav. Conte, siɛte voi che mi volete?

Con. Sì; io vi hɔ dato il preʃɛnte incɔmodo.

Cav. Che cɔsa pɔsso far per servirvi?

Con. (*gli addita* le due dɔnne, le quali ʃubito ʃ'avanzano.*) Queste due dame hanno biʃogno di 5 voi.

Cav. Diʃimpegnatemi.* Io non hɔ tɛmpo di trattenermi.

Ort. Signɔr Cavaliɛre, non intɛndo di recargli* incɔmodo. 10

Dei. Una parɔla in grazia, signɔr Cavaliɛre.

Cav. Signore mie, vi ʃupplico perdonarmi. Hɔ un affare di premura.

Ort. In due parɔle vi ʃbrighiamo.*

Dei. Due paroline,* e non più, signore. 15

Cav. (*da ʃè.*) (Maledettíssimo Conte!)

Con. Caro amico, due dame che prɛgano, vuɔle la civiltà che si ascɔltino.*

Cav. (*alle dɔnne con ʃerietà.*) Perdonate. In che vi pɔsso servire? 20

Ort. Non siɛte voi toscano, signore?

Cav. Sì, signora.

Dei. Avrete degli amici in Firɛnze?

Cav. Hɔ degli amici, e hɔ de' parɛnti.*

---

4. **gli addita,** *points out to him.* 7. **Disimpegnatemi,** *Excuse me.* 9. **recargli** = *recarle.* 14. **vi sbrighiamo,** *we'll leave you free.* 15. **Due paroline,** *Just a few words.* The diminutive ending gives a connotation of wheedling. 18. **vuole . . . si ascoltino,** *courtesy demands that they be heard.* 24. **parenti,** not " parents," but *relatives.*

Dei.   Sappiate,   signore . . . (*Ad   Ortensia.*)
Amica, principiate a dir voi.

Ort.   Dirò, signor Cavaliere . . . Sappia * che un
certo caso . . .

Cav.   Via, signore, vi supplico.   Ho un affar di 5
premura.

Con.   (*partendo.*) Orsù, capisco che la mia
presenza vi dà soggezione.   Confidatevi con libertà
al Cavaliere, ch'io vi levo l'incomodo.*

Cav.   No, amico, restate . . . Sentite . . .   10

Con.   So il mio dovere.   Servo di Lor signore.*
(*Parte.*)

SCENA XIII

Ortensia, Deianira ed il Cavaliere.

Ort.   Favorisca, sediamo.

Cav.   Scusi, non ho volontà di sedere.

Dei.   Così rustico colle donne ?   15

Cav.   Favoriscano dirmi che cosa vogliono.

Ort.   Abbiamo bisogno del vostro aiuto, della
vostra protezione, della vostra bontà.

Cav.   Che cosa vi è accaduto ?

Dei.   I nostri mariti ci hanno abbandonate.   20

Cav.   (*con allerezza.*) Abbandonate ? Come !
Due dame abbandonate ?   Chi sono i vostri mariti ?

3. **Sappia,** subj. for imperative. 9. **ch'io vi levo l'incomodo.** A stock
form of leave-taking: *I'll not inconvenience you any longer.* 11. **Servo di
Lor signore,** *Ladies, I am your humble servant.*

Dei. (*ad Ortensia.*) Amica, non vado avanti sicuro.

Ort. (*da sè.*) (È tanto indiavolato,* che or ora mi confondo ancor io.)

Cav. (*in atto di partire.*) Signore, vi riverisco. 5

Ort. Come ! Così ci trattate ?

Dei. Un cavaliere tratta così ?

Cav. Perdonatemi. Io son uno che amo assai la mia pace. Sento* due dame abbandonate dai loro mariti. Qui ci saranno degl'impegni non 10 pochi; io non sono atto a' maneggi.* Vivo a me stesso. Dame riveritissime, da me non potete sperare nè consiglio* nè aiuto.

Ort. Oh via, dunque; non lo tenghiamo* più in soggezione, il nostro amabilissimo Cavaliere. 15

Dei. Sì, parliamogli con sincerità.

Cav. Che nuovo linguaggio è questo ?

Ort. Noi non siamo dame.

Cav. No ?

Dei. Il signor Conte ha voluto farvi uno 20 scherzo.

Cav. Lo scherzo è fatto. Vi riverisco. (*Vuol partire.*)

Ort. Fermatevi un momento.

Cav. Che cosa volete ? 25

Dei. Degnateci* per un momento della vostra amabile conversazione.

Cav. Ho che fare. Non posso trattenermi.

---

3. indiavolato, freely: *deucedly disagreeable.* 9. Sento = *ascolto.*
11. io non sono ... maneggi, (now *trame* or *intrighi*), *I'm a poor hand at intrigues.* 13. consiglio, *advice.* 14. tenghiamo, *teniamo.* 26. Degnateci, *Deign to give us.*

Ort. Non vi vogliamo già mangiar niente.*

Dei. Non vi leveremo la vɔstra riputazione.

Ort. Sappiamo che non potete vedere le dɔnne.

Cav. Se lo sapete, l'hɔ caro. Vi riverisco.
(*Vuɔl partire.*)   5

Ort. Ma sentite: noi non siamo dɔnne che
pɔssano darvi ombra.*

Cav. Chi siɛte?

Ort. Diteglielo voi, Deianira.

Dei. Glielo potete dire anche voi.   10

Cav. Via, chi siɛte?

Ort. Siamo due commedianti.

Cav. Due commedianti! Parlate, parlate, che
non hɔ più paura di voi. Sono bɛn prevenuto*
in favore dell'arte vɔstra.   15

Ort. Che vuɔl dire? Spiegatevi.

Cav. Sɔ che fingete in iscɛna e fuɔri di scɛna;
e con tal prevenzione non hɔ paura di voi.

Dei. Signore, fuɔri di scɛna io non sɔ fingere.

Cav. (*a Deianira.*) Come si chiama Ella? La 20
signora Sincɛra?

Dei. Io mi chiamo ...

Cav. (*ad Ortɛnsia.*) Ɛ Ella la signora Buonalana?*

Ort. Caro signor Cavaliɛre ...   25

Cav. (*ad Ortɛnsia.*) Come si dilɛtta di miccheggiare?*

Ort. Io non sono ...

1. **Non vi ... niente,** *We don't want to fleece* (or *get anything out of*)
you. 7. **darvi ombra,** *make you suspicious.* 14. **prevenuto,** *prejudiced.*
24. **signora Buonalana?** "*Mistress Bonnyfleece?*" 27. **Come ... mic-**
cheggiare? *How do you enjoy gold-digging?* The Knight's irony for
the actresses is salted with terms from their own jargon (**gergo**).

Cav. (*a Deianira.*) I gonzi come li tratta, padrona mia ?

Dei. Non son di quelle . . .

Cav. Anch'io so parlar in gergo.

Ort. (*vuol prenderlo per un braccio.*) Oh che 5
caro signor Cavaliere !

Cav. (*dandole nelle mani.*)* Basse le cere !*

Ort. Diamine ! Ha più del contrasto che del
cavaliere.*

Cav. Contrasto vuol dir contadino. Vi ho 10
capito. E vi dirò che siete due impertinenti.

Dei. A me questo ?

Ort. A una donna delle mia sorte ?

Cav. (*ad Ortensia.*) Bello quel viso trionfato !*

Ort. (*Asino !*) (*Parte.*)   15

Cav. (*a Deianira.*) Bello quel tuppè finto !*

Dei. (Maledetto !) (*Parte.*)

SCENA XIV

Il Cavaliere, poi il di lui servitore.

Cav. Ho trovata ben io la maniera di farle andare. Che si pensavano ?* Di tirarmi nella rete ?*

7. **dandole . . . cere !** (*Slapping her hands.*) *Down with your paws!*
9. **Ha . . . cavaliere,** *He is* (*acts*) *more like a "hayseed" than a nobleman.*
Contrasto is slang for *contadino*, "peasant." 14. **viso trionfato,** *painted
face.* 16. **tuppè finto,** *puff of false hair.* **Tuppè** (French *toupet*) was
also used to denote this style of hairdressing, somewhat similar to that of
our "Gibson girl." 19. **Che . . . rete?** *What were they planning to do?
Ensnare me?*

Povere sciocche! Vadano* ora dal Conte, e gli
narrino* la bella scena. Se erano dame, per rispetto mi conveniva fuggire; ma, quando posso, le
donne le strapazzo col maggior piacere del mondo.
Non ho però potuto strapazzare Mirandolina. 5
Ella mi ha vinto con tanta civiltà, che mi trovo
obbligato quasi ad amarla. Ma è donna; non me
ne voglio fidare. Voglio andar via. Domani
anderò via. Ma se aspetto a domani? Se vengo
questa sera a dormir a casa, chi mi assicura che 10
Mirandolina non finisca di rovinarmi? (*Pensa.*)
Sì; facciamo una risoluzione da uomo.

Serv. Signore.

Cav. Che cosa vuoi?

Serv. Il signor Marchese è nella di Lei ca- 15
mera che l'aspetta,* perchè desidera di parlargli.

Cav. Che vuole cotesto pazzo? Denari non me
ne cava più di sotto.* Che aspetti, e quando sarà
stracco* di aspettare, se n'anderà. Va' dal 20
cameriere della locanda, e digli che subito porti il
mio conto.

Serv. (*in atto di partire.*) Sarà obbedita.

Cav. Senti. Fa che da qui a due ore* siano
pronti i bauli.   25

Serv. Vuol partir forse?

1–2. **Vadano; narrino,** imperatives. *Let them go; let them tell.* 16. **che
l'aspetta,** *waiting for you.* Italian often uses a relative clause where
English uses a present participle. Note, however, that *che aspetti* (below) is an imperative: *let him wait.* 19. **Denari ... di sotto,** *He'll get
no more* money *out of me.* Note the emphatic position of *denari.*
20. **stracco,** *tired.* 24. **Fa che ... ore,** *See that within two hours from
now.*

Cav. Sì; portami qui la spada ed il cappello; senza che* se n'accorga il Marchese.

Serv. Ma se mi vede fare i bauli?*

Cav. Dica* ciò che vuole. M'hai inteso.

Serv. (*da sè.*) (Oh, quanto mi dispiace andar 5 via, per causa di Mirandolina!) (*Parte.*)

Cav. Eppur è vero. Io sento nel partire di qui una dispiacenza* nuova, che non ho mai provata. Tanto peggio per me, se vi restassi. Tanto più presto mi convien partire. Sì, donne, sempre più 10 dirò male di voi; sì, voi ci fate del male, ancora quando ci volete fare del bene.

SCENA XV

Fabrizio e detto.

Fab. È vero, signore, che vuol il conto?

Cav. Sì, l'avete portato?

Fab. Adesso la padrona lo fa. 15

Cav. Ella fa i conti?

Fab. Oh, sempre ella. Anche quando viveva suo padre. Scrive e sa far di conto meglio di qualche giovane di negozio.*

Cav. (*da sè.*) (Che donna singolare è costei!) 20

Fab. Ma vuol Ella andar via così presto?

Cav. Sì, così vogliono i miei affari.

2. senza che, *without.* 3. fare i bauli, *packing the trunks.* 4. Dica. Imperative: *Let him say.* 8. dispiacenza = *dispiacere,* " regret." 19. giovane di negozio, *clerk,* or *accountant.*

Fab. La prego di ricordarsi del cameriere.

Cav. Portate il conto, e so quello che devo fare.

Fab. Lo vuol qui il conto ?

Cav. Lo voglio qui; in camera per ora non ci vado.

Fab. Fa bene; in camera Sua vi è quel seccatore del signor Marchese. Carino !* Fa l'innamorato della padrona; ma può leccarsi le dita.* Mirandolina deve esser mia moglie.

Cav. (*alterato.*) Il conto !

Fab. La servo subito. (*Parte.*)

SCENA XVI

Il Cavaliere solo.

Tutti sono invaghiti di Mirandolina. Non è maraviglia, se ancor io principiava a sentirmi accendere. Ma anderò via; supererò questa incognita forza . . . Che vedo ? Mirandolina ? Che vuole da me ? Ha un foglio * in mano. Mi porterà * il conto. Che cosa ho da fare ? Convien soffrire quest' ultimo assalto. Già, da qui a due ore io parto.

---

7. **Carino !** *The poor dear!* 8. **leccarsi le dita,** lit: *lick his fingers,* i.e., he hasn't a chance. 16. **foglio,** *sheet of paper.* 16. **porterà,** fut. of probability.

SCENA XVII

Mirandolina con un foglio in mano, e detto.

Mir.   (*mestamente.*) Signore . . .

Cav.   Che c'è, Mirandolina ?

Mir.   (*stando indietro.*) Perdoni.

Cav.   Venite avanti.

Mir.   (*mestamente.*)   Ha domandato il Suo 5
conto; L'ho servita.

Cav.   Date qui.*

Mir.   Eccolo. (*Si asciuga gli occhi col grembiale,**
nel dargli il conto.)

Cav.   Che avete ? Piangete ?   10

Mir.   Niente, signore; mi è andato del fumo
negli occhi.

Cav.   Del fumo negli occhi ? Eh ! basta . . .
quanto importa il conto ? (*Legge.*) Venti paoli ?
In quattro giorni, un trattamento sì generoso, 15
venti paoli ?

Mir.   Quello è il Suo conto.

Cav.   E i due piatti particolari che mi avete dato
questa mattina, non ci sono nel conto ?

Mir.   Perdoni. Quel ch'io dono, non lo metto 20
in conto.

Cav.   Me li avete voi regalati ?

Mir.   Perdoni la libertà. Gradisca per un atto
di . . . (*Si copre, mostrando di piangere.*)

---

7. **Date qui**, *Give it here.* The direct object is frequently omitted
when the context makes clear what it must be.   8. **grembiale**, *apron.*
Grembiule is a variant form.

Cav. Ma che avete ?

Mir. Non so se sia il fumo, o qualche flussione *
di occhi.

Cav. Non vorrei che aveste patito,* cucinando
per me quelle due preziose vivande.   5

Mir. Se fosse per questo, lo soffrirei . . . volentieri . . . (*Mostra trattenersi di piangere.*)

Cav. (*da sè.*) (Eh, se non vado via !) Orsù,
tenete.* Queste sono due doppie. Godetele per
amor mio . . . e compatitemi . . . (*S'imbroglia.*) *   10

Mir. (*senza parlare, cade come svenuta sopra una
sedia.*)

Cav. Mirandolina ! Ahimè ! Mirandolina ! È
svenuta. Che fosse * innamorata di me ? Ma così
presto ? E perchè no ? Non sono io innamorato 15
di lei ? Cara Mirandolina . . . Cara ? Io *cara* *
ad una donna ? Ma se è svenuta per me ? Oh,
come tu sei * bella ! Avessi * qualche cosa per farla
rinvenire ! Io che non pratico donne, non ho
spiriti, non ho ampolle.* Chi è di là ? Vi è nes- 20
suno ? Presto . . . Anderò io. Poverina ! Che tu
sia benedetta ! (*Parte e poi ritorna.*)

Mir. Ora poi * è caduto affatto. Molte sono le
nostre armi, colle quali si vincono gli uomini. Ma,
quando sono ostinati, il colpo di riserva * sicuris- 25

---

2. **flussione,** *fluxion* (excessive flow of blood towards any organ).
4. **Non . . . patito,** *I should not want you to have suffered.* 9. **tenete.** See
p. 82, note 7. 10. **S'imbroglia,** *He becomes confused.* 14. **Che fosse,**
Can it be possible that she is. 16. **Io cara,** etc. The Knight is astonished
and a bit frightened by his own words. 18. **tu sei.** Intimate, but not
very daring, since he thinks she is unconscious. 18. **Avessi,** *If I only
had.* 20. **ampolle,** *smelling-salts.* 23. **Ora poi,** *Now then* (at last).
25. **colpo di riserva,** *finishing touch* (French *coup de grâce*).

simo è uno svenimento. Torna, torna. (*Si mette come sopra.*)*

Cav. (*torna con un vaso d'acqua.*) Eccomi, eccomi. E non è ancor rinvenuta. Ah, certamente costei mi ama. (*La spruzza,* ed ella si va muo- 5 vendo.*) Animo, animo! Son qui, cara. Non partirò più per ora.

SCENA XVIII

Il servitore colla spada e il cappello, e detti.

Ser. (*al Cavaliere.*) Ecco la spada ed il cappello.
Cav. (*al servitore, con ira.*) Va' via.
Ser. I bauli . . .   10
Cav. Va' via, che tu sia maledetto.
Ser. Mirandolina!
Cav. Va', che ti spacco la testa.* (*Lo minaccia col vaso: il servitore parte.*) E non rinviene ancora? La fronte le suda.* Via, cara Mirandolina, fatevi 15 coraggio, aprite gli occhi. Parlatemi con libertà.

SCENA XIX

Il Marchese ed il Conte, e detti.*

Mar. Cavaliere?
Con. Amico?

2. **Si mette come sopra,** i.e., *resumes her position.* 5. **La spruzza,** i.e., *dashes water in her face.* 6. **si va muovendo,** *begins to move.* 12. **Va', che . . . testa,** *Go or I'll crack your skull.* 15. **La fronte le suda,** *Her brow is perspiring.* SCENA XIX: **Il Marchese ed il Conte** come in response to the Knight's call for help: **Chi è di là?** (p. 83, l. 20). Now they can take revenge for the ridicule he has heaped upon them.

Cav. (Oh maledetti !)   (*Va smaniando.*) *

Mar.   Mirandolina !

Mir.   (*s'alza.*) Oimè !

Mar.   Io l'ho fatta rinvenire.*

Con.   Mi rallegro, signor Cavaliere.   5

Mar.   Bravo quel signore che non può vedere le donne !

Cav.   Che impertinenza !

Con.   Siete caduto ?

Cav.   Andate al diavolo quanti siete.*   (*Getta il* 10 *vaso in terra, e lo rompe verso il Conte ed il Marchese, e parte furiosamente.*)

Con.   Il Cavaliere è diventato pazzo.   (*Parte.*)

Mar.   Di questo affronto voglio soddisfazione. (*Parte.*)
                                                          15

Mir.   L'impresa è fatta.*   Il di lui cuore è in fuoco, in fiamma, in cenere.*   Restami solo, per compiere * la mia vittoria, che si renda pubblico il mio trionfo, a scorno degli uomini prosuntuosi,* e ad onore del nostro sesso.   (*Parte.*)   20

1. **Va smaniando,** *storming about.* 4. **Io l'ho fatta rinvenire.** The ego of the Marquis is equal to all occasions. 10. **quanti siete,** *all of you.* 16. **L'impresa è fatta,** *I have accomplished my purpose* (lit: *undertaking*). 17. **cenere,** *ashes.* 18. **Restami . . . compiere,** *To complete my victory, there remains only.* 19. **prosuntuosi,** *arrogant* or *presumptuous.*

ATTO TERZO

SCENA PRIMA

Camera di Mirandolina con tavolino e biancheria
da stirare.

Mirandolina, poi Fabrizio.

Mir. Orsù, l'ora del divertimento è passata.
Voglio ora badare a' fatti miei. Prima che questa
biancheria si prosciughi* del tutto, voglio stirarla.
Ehi, Fabrizio !

Fab. Signora.   5

Mir. Fatemi un piacere. Portatemi il ferro
caldo.

Fab. (*con serietà, in atto di partire.*) Signora sì.

Mir. Scusate, se do a voi questo disturbo.

Fab. Niente, signora. Finchè io mangio il 10
vostro pane, sono obbligato a servirvi. (*Vuol
partire.*)

Mir. Fermatevi; sentite: non siete obbligato a
servirmi in queste cose; ma so che per me lo fate
volentieri, ed io . . . Basta, non dico altro.   15

Fab. Per me, vi porterei l'acqua colle orecchie*;
ma vedo che tutto è gettato via.

Mir. Perchè gettato via ? Sono forse un'ingrata ?

---

3. **si prosciughi,** *gets dry.* Now *si asciughi.* 16. **vi porterei . . . orecchie**
is a picturesque exaggeration of devotion, but almost untranslatable.
" I would do the impossible for you."

Fab. Voi non degnate i pɔveri uɔmini. Vi
piace trɔppo la nobiltà.

Mir. Uh, pɔvero pazzo! Se vi potessi dir
tutto! Via, via, and*a*temi * a piglia*r* il fɛrro.

Fab. Ma se hɔ veduto io con questi miɛi ɔcchi . . . 5

Mir. Andiamo, meno ciarle. Port*a*temi il
fɛrro.

Fab. (*andando.*) Vado, vado; vi servirɔ, ma per
pɔco.

Mir. (*mostrando parlar da sè, ma per ɛsser sen-* 10
tita.) Con questi uɔmini, più che loro si vuɔl bɛne,
si fa pɛggio.*

Fab. (*con tenerezza, tornando indiɛtro.*) Che
cɔsa avete detto?

Mir. Via, mi portate questo fɛrro?   15

Fab. Sì, ve lo pɔrto. (*Da sè.*) (Non sɔ niɛnte.
Ora la mi tira su, ora la mi butta giù.* Non sɔ
niɛnte.) (*Parte.*)

SCƐNA II

Mirandɔlina, pɔi il servitore del Cavaliɛre.

Mir. Pɔvero sciɔcco! Mi ha da servire a suo
marcio dispɛtto.* Mi par di ri*d*ere a far che * 20
gli uɔmini f*a*cciano a mɔdo mio. E quɛl caro signɔr

---

4. andatemi, etc.   Construe mi as *for me.* 12. più che ... peggio,
the better one likes them the worse one fares. 17. Ora ... butta giù, *Sometimes she buoys me up and sometimes she makes me feel cast down.* 20. a
suo marcio dispetto, *in spite of himself.* 20. Mi par di ridere a far che,
I enjoy making.

Cavaliere, ch'era tanto nemico delle donne ? Ora,
se volessi, sarei padrona di * fargli fare qualunque
bestialità.

Ser. Signora Mirandolina.

Mir. Che c'è, amico ? 5

Ser. Il mio padrone La riverisce, e manda a
vedere come sta.

Mir. Ditegli che sto benissimo.

Ser. (*le dà una boccetta d'oro.*) Dice così, che
beva un poco di questo spirito di melissa, che Le 10
farà assai bene.

Mir. È d'oro questa boccetta ?

Ser. Sì, signora, d'oro; lo so di sicuro.

Mir. Perchè non mi ha dato lo spirito di melissa, quando mi è venuto quell'orribile sveni- 15
mento ?

Ser. Allora questa boccetta egli non l'aveva.

Mir. Ed ora come l'ha avuta ?

Ser. Sentite, in confidenza. Mi ha mandato ora
a chiamar un orefice,* l'ha comprata, e l'ha pagata 20
dodici zecchini; e poi mi ha mandato dallo speziale* a comprar lo spirito.

Mir. (*ride.*) Ah, ah, ah !

Ser. Ridete ?

Mir. Rido, perchè mi manda il medicamento 25
dopo che son guarita del male.

Ser. Sarà buono per un'altra volta.

Mir. Via, ne beverò un poco per preservativo.*
(*Beve.*) Tenete, ringraziatelo. (*Gli vuol dar la
boccetta.*) 30

---

2. **sarei padrona di,** *I could.* 20. **orefice,** *goldsmith.* 22. **dallo speziale,**
to the druggist's. 28. **per preservativo,** *as a preventive.*

Ser. Oh ! la boccetta è vostra.

Mir. Come mia ?

Ser. Sì. Il padrone l'ha comprata a posta.

Mir. A posta per me ?

Ser. Per voi; ma zitto.   5

Mir. Portategli la sua boccetta, e ditegli che lo ringrazio.

Ser. Eh via !

Mir. Vi dico che gliela portiate, che non la voglio.   10

Ser. Gli volete far quest'affronto ?

Mir. Meno ciarle. Fate il vostro dovere. Tenete.

Ser. Non occorr'altro.* Gliela porterò. (Oh che donna ! Ricusa dodici zecchini ! Una simile 15 non l'ho più ritrovata,* e durerò fatica a trovarla.*) (*Parte.*)

SCENA III

Mirandolina, poi Fabrizio.

Mir. Uh, è cotto, stracotto e biscottato !* Ma siccome quel che ho fatto con lui, non l'ho fatto per interesse, voglio ch'ei confessi la forza delle donne, 20 senza poter dire che sono interessate e venali.*

14. **Non occorr'altro,** *Very well.* 16. **non . . . ritrovata:** construe: *non l'ho mai trovata.* 16. **durerò . . . trovarla,** *I shall have a hard time finding one.* 18. **è cotto, stracotto e biscottato !** Mir., who has already demonstrated her talents as a cook, humorously uses cookery terms to describe the infatuation of the Knight. Freely: *His goose is cooked, done brown, and overdone.* 21. **interessate e venali,** *selfish and mercenary.*

Fab. (*sostenuto, col ferro da stirare in mano.*)
Ecco qui il ferro.

Mir. È ben caldo ?

Fab. Signora sì, è caldo; così foss'io abbruciato.*

Mir. Che cosa vi è di nuovo ?   5

Fab. Questo signor Cavaliere manda le ambasciate,* manda i regali. Il servitore me l'ha detto.

Mir. Signor sì, mi ha mandato una boccettina d'oro, ed io gliel'ho rimandata indietro.   10

Fab. Gliel'avete rimandata indietro ?

Mir. Sì; domandatelo al servitore medesimo.

Fab. Perchè gliel'avete rimandata indietro ?

Mir. Perchè . . . Fabrizio . . . non   dica . . .*
Orsù, non parliamo altro.   15

Fab. Cara Mirandolina, compatitemi.

Mir. Via, andate, lasciatemi stirare.

Fab. Io non v'impedisco di fare . . .

Mir. Andatemi a preparare un altro ferro e, quando è caldo, portatelo.   20

Fab. Sì, vado. Credetemi che se parlo . . .

Mir. Non dite altro. Mi fate venire la rabbia.

Fab. Sto cheto.* (*Da sè.*) (Ell'è una testolina bizzarra,* ma le voglio bene.) (*Parte.*)

Mir. Anche questa è buona. Mi faccio merito 25 con Fabrizio d'aver ricusata la boccetta d'oro del Cavaliere. Questo vuol dir saper vivere, saper fare, saper profittare di tutto, con buona grazia, con

---

4. **così . . . abbruciato** is purposely ambiguous. We may add *dal vostro amore* for one inference; *chè finirei di penare* for the other. In short, a longing for love or for death. 7. **ambasciate**, *messages*. 14. **Perchè . . . non dica**, *So that he may not say*. 23. **Sto cheto**, *I'll keep still*. 24. **testolina bizzarra**, *capricious madcap*.

shrewdness

pulizia, con un poco di disinvoltura.* In materia
d'accortezza, non voglio che si dica ch'io faccio
torto al sesso. (*Va stirando.*)

SCENA IV

Il Cavaliere e detta.

Cav. (*da sè, indietro.*) (Eccola. Non ci volevo
venire, e il diavolo mi ci ha strascinato.)   5

Mir. (*lo vede colla coda* dell'occhio, e stira.*)
(Eccolo, eccolo.)

Cav. Mirandolina.

Mir. (*stirando.*) Oh signor Cavaliere! Serva
umilissima.   10

Cav. Come state?

Mir. (*stirando senza guardarlo.*) Benissimo, per
servirla.*

Cav. Ho motivo di dolermi di voi.

Mir. (*guardandolo un poco.*) Perchè, signore? 15

Cav. Perchè avete ricusato una piccola boccettina* che vi ho mandato.

Mir. (*stirando.*) Che voleva ch'io ne facessi?

Cav. Servirvene nelle occorrenze.

Mir. (*stirando.*) Per grazia del cielo, non sono 20
soggetta agli svenimenti. Mi è accaduto oggi quello
che non mi è accaduto mai più.*

1. con buona... disinvoltura, *gracefully, neatly, and somewhat non-
chalantly.* 6. coda, *corner.* (Lit. *tail.*) 13. per servirla, *thank you.* 17. piccola boccettina. Both words indicate smallness; the Knight is belittling
his costly gift. 22. mai più, *ever before.*

Cav. Cara Mirandolina ... non vorrei esser io stato cagione * di quel funesto * accidente.

Mir. (*stirando.*) E sì, ho timore che Ella appunto ne sia stata la causa.

Cav. (*con passione.*) Io? Davvero?   5

Mir. (*stirando con rabbia.*) Mi ha fatto bere quel maledetto vino di Borgogna, e mi ha fatto male.

Cav. (*rimane mortificato.*) Come? Possibile?

Mir. (*stirando.*) È così senz'altro. In camera 10 Sua non ci vengo mai più.

Cav. (*amoroso.*) V'intendo. In camera mia non ci verrete più? Capisco il mistero. Sì, lo capisco. Ma veniteci, cara, che vi chiamerete contenta.   15

Mir. Questo ferro è poco caldo. (*Forte verso la scena.*) Ehi, Fabrizio! Se l'altro ferro è caldo, portatelo.

Cav. Fatemi questa grazia, tenete questa boccetta.   20

Mir. (*con disprezzo, stirando.*) In verità, signor Cavaliere, dei regali io non ne prendo.

Cav. Li avete pur presi dal conte d'Albafiorita.

Mir. (*stirando.*) Per forza.* Per non disgustarlo.   25

Cav. E vorreste fare a me questo torto? e disgustarmi?

Mir. Che importa a Lei che una donna La disgusti? Già, le donne non le può vedere.

Cav. Ah, Mirandolina! ora non posso dire così. 30

---

2. **cagione,** *cause.* 2. **funesto,** *horrible.* 24. **Per forza,** *Necessarily.*

Mir. Signor Cavaliere, a che ora fa la luna nuova ? *

Cav. Il mio cambiamento non è lunatico.* Questo è un prodigio della vostra bellezza, della vostra grazia. 5

Mir. (*ride forte e stira.*) Ah, ah, ah !

Cav. Ridete ?

Mir. Non vuol che rida ? Mi burla, e non vuol ch'io rida ?

Cav. Eh furbetta ! Vi burlo eh ? Via, prendete 10 questa boccetta.

Mir. (*stirando.*) Grazie, grazie.

Cav. Prendetela, o mi farete andare in collera.

Mir. (*chiamando forte, con caricatura.*) Fabrizio, il ferro. 15

Cav. (*alterato.*) La prendete, o non la prendete ?

Mir. Furia, furia.* (*Prende la boccetta, e con disprezzo la getta nel paniere della biancheria.*)

Cav. La gettate così ?

Mir. (*chiama forte, come sopra.*) Fabrizio ! 20

SCENA V

Fabrizio col ferro, e detti.

Fab. Son qua. (*Vedendo il Cavaliere s'ingelosisce.**)

2. luna nuova . . . lunatico. Puns defy translation. Perhaps: " when came this lunar phase ? " — " My changing is no mere lunacy." Or perhaps " moonshine " could be used. 17. Furia, furia. Freely: *You get " mad " about it, do you?* 22. s'ingelosisce, *he becomes jealous.*

Mir. (*prende il ferro.*) È caldo bene ?

Fab. (*sostenuto.*) Signora sì.

Mir. (*a Fabrizio, con tenerezza.*) Che avete,
che mi parete turbato ?*

Fab. Niente, padrona, niente.   5

Mir. (*come sopra.*) Avete male ?

Fab. Datemi l'altro ferro, se volete che lo metta
nel fuoco.

Mir. (*come sopra.*) In verità, ho paura che
abbiate male.   10

Cav. Via, dategli il ferro, e che se ne vada.*

Mir. (*al Cavaliere.*) Gli voglio bene, sa Ella ?
È il mio cameriere fidato.*

Cav. (*da sè, smaniando.*) (Non posso più.)*

Mir. (*dà il ferro a Fabrizio*) Tenete, caro, 15
scaldatelo.*

Fab. (*con tenerezza.*) Signora padrona . . .

Mir. (*lo scaccia.*) Via, via, presto.

Fab. (*da sè.*) (Che vivere è questo ? Sento
che non posso più.) (*Parte.*)   20

SCENA VI

Il Cavaliere e Mirandolina.

Cav. Gran finezze, signora, al Suo cameriere !

Mir. E per questo, che cosa vorrebbe dire ?

---

4. turbato, *troubled.* 11. che se ne vada, *let him go.* (Imperative.)
13. fidato, *faithful.* 14. Non posso più, *I can't stand it any longer.*
16. scaldatelo, *heat it.*

Cav. Si vede che ne siete invaghita.

Mir. (*stirando.*) Io innamorata di un cameriere? Mi fa un bel complimento, signore. Non
sono di sì cattivo gusto, io. Quando volessi*
amare, non getterei il mio tempo sì malamente.   5

Cav. Voi meritereste l'amore di un re.

Mir. (*stirando.*) Del re di spade o del re di
coppe?*

Cav. Parliamo sul serio, Mirandolina, e lasciamo
gli scherzi.   10

Mir. (*stirando.*) Parli pure, che io L'ascolto.

Cav. Non potreste per un poco lasciar di stirare?

Mir. Oh perdoni! Mi preme allestire* questa
biancheria per domani.

Cav. Vi preme dunque quella biancheria più 15
di me?

Mir. (*stirando.*) Sicuro.

Cav. E ancora lo confermate?

Mir. (*stirando.*) Certo. Perchè di questa
biancheria me ne ho da servire, e di Lei non posso 20
far capitale di niente.

Cav. Anzi, potete dispor di me con autorità.

Mir. Eh, che* Ella non può vedere le donne!

Cav. Non mi tormentate più. Vi siete vendicata
abbastanza. Stimo voi, stimo le donne che sono 25
della vostra sorte, se pur ve ne sono.* Vi stimo, vi
amo, e vi domando pietà.

---

4. **Quando volessi**, *If I wished*. 8. **re di spade . . . coppe?** *king of*
spades or king of hearts? The designs on Italian cards show swords (*spade*,
sg. *spada* — see Act II, Sc. XIV), cups (*coppe*), coins (*danari*), and clubs
(*bastoni*). 13. **Mi preme allestire,** *It is important for me to prepare.* 23. **che**
merely emphasizes **Ella**. Omit in trans. 26. **se pur ve ne sono,** *if indeed*
there are any.

Mir. Sì signore, glielo diremo.* (*Stirando in fretta si fa cadere un manicotto.**)

Cav. (*leva di terra il manicotto e glielo dà.*) Credetemi . . .

Mir. Non S'incomodi. 5

Cav. Voi meritate di esser servita.

Mir. (*ride forte.*) Ah, ah, ah !

Cav. Ridete ?

Mir. Rido, perchè mi burla.

Cav. Mirandolina, non posso più. 10

Mir. Le vien male ?

Cav. Sì, mi sento mancare.

Mir. (*gli getta con disprezzo la boccetta.*) Tenga il Suo spirito di melissa.

Cav. Non mi trattate con tanta asprezza. 15 Credetemi, vi amo, ve lo giuro. (*Vuol prenderle la mano, ed ella col ferro lo scotta.*) Ahimè !

Mir. Perdoni: non l'ho fatto apposta.

Cav. Pazienza ! Questo è niente. Mi avete fatto una scottatura più grande. 20

Mir. Dove, signore ?

Cav. Nel cuore.

Mir. (*chiama ridendo.*) Fabrizio !

Cav. Per carità,* non chiamate colui.

Mir. Ma se ho bisogno dell'altro ferro ! 25

Cav. Aspettate . . . (ma no . . .) chiamerò il mio servitore.*

1. **glielo diremo,** freely: *that's what we'll tell them.* Ironical and incredulous, as is shown by the Knight's reply. 2. **manicotto,** now *polsino* or *manichino:* " cuff." 24. **Per carità,** *For pity's sake.* 27. **Aspettate . . . servitore.** In his jealous desire to keep Fab. at a distance, the Knight is about to offer to get the flatiron himself (*aspettate*). On second thought, he reflects that it would be unbecoming for him to do so (*ma no*). Then he thinks of a solution (*chiamerò*, etc.).

Mir.   (*vuol chiamar Fabrizio.*) Eh ! Fabrizio...

Cav.   Giuro al cielo, se viene colui, gli spacco la testa.

Mir.   Oh, questa è bella ! Non mi potrò servire della mia gente ?   5

Cav.   Chiamate un altro; colui non lo posso vedere.

Mir.   Mi pare ch'Ella si avanzi un poco troppo, signor Cavaliere. (*Si scosta* dal tavolino col ferro in mano.*)   10

Cav.   Compatitemi ... son fuor di me.

Mir.   Anderò io in cucina, e sarà contento.

Cav.   No, cara, fermatevi.

Mir.   (*passeggiando.*) È una cosa curiosa questa.

Cav.   (*le va dietro.*) Compatitemi.   15

Mir.   (*passeggia*) Non posso chiamar chi voglio ?

Cav.   (*le va dietro.*) Lo confesso. Ho gelosia di colui.

Mir.   (*da sè, passeggiando.*) (Mi vien dietro* 20 come un cagnolino.)

Cav.   Questa è la prima volta ch'io provo che cosa sia amore.

Mir.   (*camminando.*) Nessuno mi ha mai comandato.   25

Cav.   (*la segue*) Non intendo di comandarvi: vi prego.

Mir.   (*voltandosi con alterezza.*) Che cosa vuole da me ?

Cav.   Amore, compassione, pietà.   30

Mir.   Un uomo, che stamattina non poteva

9. **Si scosta,** *She moves away.*   20. **Mi vien dietro,** *He follows me.*

veder le donne, oggi chiede amore e pietà ? Non gli abbado,* non può essere, non gli credo. (*Da sè*.) (Crepa, schiatta,* impara a disprezzar le donne !) (*Parte*.)

SCENA VII

Il Cavaliere, solo.

Oh maledetto il punto in cui ho principiato a mirar costei ! Son caduto nel laccio,* e non vi è più rimedio.

SCENA VIII

Il Marchese e detto.

Mar. Cavaliere, voi mi avete insultato.
Cav. Compatitemi, fu un accidente.
Mar. Mi maraviglio di voi.
Cav. Finalmente il vaso non vi ha colpito.*
Mar. Una gocciola * d'acqua mi ha macchiato il vestito.*
Cav. Torno a dir,* compatitemi.

2. **Non gli abbado,** *I pay no attention to him.* Now *non gli do retta.*
3. **Crepa, schiatta:** forceful slang: *Croak, explode.* (Imperatives.)
6. **laccio,** *snare.* 11. **colpito,** *struck.* 12. **gocciola,** *drop.* 13. **vestito,** *suit.* 14. **Torno a dir,** *I repeat.*

Mar. Questa è una impertinenza.

Cav. Non l'ho fatto a posta. Compatitemi, per la terza volta.

Mar. Voglio soddisfazione.

Cav. Se non volete compatirmi, se volete soddis- 5
fazione, son qui, non ho soggezione di voi.

Mar. (*cangiandosi.*)* Ho paura che questa macchia non voglia andar via; questo è quello che mi fa andare in collera.

Cav. (*con isdegno.*)* Quando un cavaliere vi 10
chiede scusa, che pretendete di più ?

Mar. Se non l'avete fatto a malizia, lasciamo andare.

Cav. Vi dico che son capace di darvi qualunque soddisfazione.   15

Mar. Via, non parliamo altro.

Cav. Cavaliere malnato !*

Mar. Oh questa è bella ! A me è passata la collera, e voi ve la fate venire.*

Cav. Ora per l'appunto mi avete trovato in 20
buona luna.*

Mar. Vi compatisco; so che male avete.

Cav. I fatti vostri io non li ricerco.*

Mar. Signor inimico delle donne, ci siete ca- duto eh ?   25

Cav. Io ? Come ?

Mar. Sì, siete innamorato . . .

Cav. Sono il diavolo che vi porti.*

7. **cangiandosi,** *changing his tone (of voice).* 10. **con isdegno,** *indignantly.* 17. **malnato,** *ill-bred.* 19. A me . . . fate venire, *I've got over my anger and you are working up yours.* 21. **Ora per l'appunto . . . buona luna,** *Right now you find me in a fine mood.* 23. I fatti . . . ricerco, *I don't pry into your affairs.* 28. **il diavolo che vi porti,** *deuce take you.*

Mar. Che serve nascondersi ? . . .

Cav. Lasciatemi stare, che giuro al cielo ve ne farò pentire.   (*Parte.*)

SCENA IX

Il *Marchese, solo.*

È innamorato, si vergogna, e non vorrebbe che si sapesse. Ma forse non vorrà * che si sappia, perchè 5 ha paura di me; avrà * soggezione a dichiararsi per mio rivale. Mi dispiace assaissimo di questa macchia; se sapessi come fare a levarla ! Queste donne sogliono avere della terra da levar le macchie. (*Osserva nel tavolino e nel paniere.*)   Bella questa 10 boccetta ! Che sia * d'oro, o di princisbech ? Eh, sarà di princisbech; se fosse d'oro, non la lascierebbero qui. Se vi fosse dell'acqua della regina,* sarebbe buona per levar questa macchia. (*Apre, odora e gusta.*) È spirito di melissa. Tant'è 15 tanto,* sarà buono. Voglio provare.

5–6. **vorrà, avrà** are both fut. of possibility.   Translate as pres. tense.
11. **Che sia**, *I wonder whether it is.*   13. **acqua della regina**, *essence of rosemary.*   The complete phrase is *acqua della regina d' Ungheria.*
16. **Tant'è tanto,** *In any case.*

SCENA X

Deianira e detto.

Dei. Signor Marchese, che fa qui solo? Non favorisce mai?

Mar. Oh signora Contessa. Veniva or ora per riverirla.

Dei. Che cosa stava facendo?   5

Mar. Vi dirò. Io sono amantissimo* della pulizia. Voleva levare questa piccola macchia.

Dei. Con che, signore?

Mar. Con questo spirito di melissa.

Dei. Oh perdoni; lo spirito di melissa non serve, 10 anzi farebbe venire la macchia più grande.

Mar. Dunque, come ho da fare?

Dei. Io ho un segreto per cavar le macchie.

Mar. Mi farete piacere a insegnarmelo.

Dei. Volentieri. M'impegno con uno scudo far 15 andar via quella macchia, che* non si vedrà nemmeno dove sia stata.

Mar. Vi vuole* uno scudo?

Dei. Sì signore; vi pare una grande spesa?

Mar. È meglio provare lo spirito di melissa.   20

Dei. Favorisca: è buono quello spirito?

Mar. Prezioso, sentite. (*Le dà la boccetta.*)

Dei. (*assaggiandolo.*) Oh, io ne so fare del meglio.

Mar. Sapete fare degli spiriti?   25

Dei. Sì signore, mi diletto di tutto.

---

6. **amantissimo**, *very fond.*   16. **che** = *in modo che,* " so that."   18. **Vi vuole** = *ci vuole,* " does it require? "

Mar. Brava damina, brava. Così mi piace.

Dei. Sarà d'ɔro questa boccetta?

Mar. Non volete?* Ɛ ɔro sicuro! (*Da sè.*) (Non conosce l'ɔro dal princiʃbɛch.)

Dei. Ɛ Sua, signɔr Marcheʃe? 5

Mar. Ɛ mia; e vɔstra, se comandate.*

Dei. Obbligat*i*ssima alle Sue grazie. (*La mette via.*)

Mar. Eh! sɔ che scherzate.

Dei. Come! Non me l'ha eʃibita? 10

Mar. Non è cɔsa da vɔstra pari.* Ɛ una bagat-tɛlla. Vi servirɔ di cɔsa migliore, se ne avete vɔglia.

Dei. Ɔh, mi marav*i*glio! Ɛ anche trɔppo. La ringrazio, signɔr Marcheʃe. 15

Mar. Sentite. In confidɛnza. Non è ɔro: è princiʃbɛch.

Dei. Tanto mɛglio. La stimo più che se fosse ɔro. E pɔi, qu*e*l che viɛne dalle Sue mani è tutto prezioso. 20

Mar. Basta. Non sɔ che dire. Serv*i*tevi, se vi degnate. (*Da sè.*) (Pazienza! Biʃognerà pagarla a Mirandolina. Che cɔsa puɔ valere? Un fi-lippo?*)

Dei. Il signɔr Marcheʃe è un cavaliɛr gene- 25 roso.

Mar. Mi vergogno a regal*a*r queste bagattɛlle. Vorrɛi che quella boccetta fosse d'ɔro.

3. **Non volete** = *non volete crederlo?* "Do you doubt it?" 6. **e vostra, se comandate.** The Mar. is confident that his gallant offer will not be accepted. 11. **da vostra pari,** *for such as you.* 24. **filippo.** A Milanese coin worth a little more than five lire.

Dei. In verità, pare propriamente * ɔro. (*La tira fuɔri e la osserva.*) Ognuno s'ingan2nerɛbbe.

Mar. È vero. Chi non ha pratica * dell'ɔro s'inganna; ma io lo conosco subito.

Dei. Anche al peso * par che sia ɔro.   5

Mar. E pur non è vero.

Dei. Vɔglio farla vedere alla mia compagna.

Mar. Sentite, signora Contessa, non la fate vedere a Mirandolina. È una ciarliɛra.* No sɔ se mi capite.   10

Dei. Intɛndo benissimo. La fɔ vedere solamente ad Ortɛnsia.

Mar. Alla baronessa ?

Dei. Sì, sì, alla baronessa. (*Ridɛndo parte.*)

SCƐNA XI

Il Marchese, pɔi il servitore del Cavaliɛre.

Mar. Credo che se ne * rida perchè mi ha levato 15 con quɛl bɛl garbo la boccettina. Tant'ɛra * se fosse stata d'ɔro. Manco male, che con pɔco l'aggiusterɔ.* Se Mirandolina vorrà la sua boccetta, gliela pagherɔ, quando ne avrɔ.*

1. **propriamente,** *really.* 3. **Chi . . . pratica del,** *One who is not familiar with.* (But he, of course, is familiar with it !) 5. **peso,** *weight* 9. **ciarliera,** *chatter-box.* 15. **se ne:** omit in translation. 16. **Tant'era,** *The same thing would have happened.* 18. **Manco male . . . l'aggiusterò,** *Luckily, I can settle for it at small cost.* 19. **quando ne avrò,** *when I get some (money).*

Ser. (*cerca sul tavolino.*) Dove diamine sarà questa boccetta ?

Mar. Che cosa cercate, galantuomo ?

Ser. Cerco una boccettina di spirito di melissa. La signora Mirandolina la vorrebbe.* Dice che l'ha 5 lasciata qui, ma non la ritrovo.

Mar. Era una boccettina di princisbech ?

Ser. No signore, era d'oro.

Mar. D'oro ?

Ser. (*cerca.*) Certo che era d'oro. L'ho veduta 10 comprar io per dodici zecchini.

Mar. (*da sè.*) (Oh povero me !) Ma come lasciar così una boccetta d'oro ?

Ser. Se l'è scordata,* ma io non la trovo.

Mar. Mi pare ancora impossibile che fosse 15 d'oro.

Ser. Era oro, gli* dico. L'ha forse veduta Vostra Eccellenza ?

Mar. Io ? . . . Non ho veduto niente.

Ser. Basta. Le dirò che non la trovo. Suo 20 danno.* Doveva mettersela in tasca. (*Parte.*)

SCENA XII

Il Marchese, poi il Conte.

Mar. Oh povero marchese di Forlipopoli ! Ho donata una boccetta d'oro, che val dodici zecchini,

---

5. **Mirandolina la vorrebbe.** Despite her denials to the Knight, she is somewhat mercenary. Now that he is gone, she sends for the flask. 14. **Se l'è scordata,** *She forgot it.* 17. **gli** = *Le.* 21. **danno,** *loss.*

e l'hɔ donata per princisbɛch. Come hɔ da regolarmi* in un caɾo di tanta importanza? Se
ricupero* la boccetta dalla contessa, mi fɔ ridícolo
prɛsso di lɛi*; se Mirandolina viɛne a scoprire
ch'io l'abbia avuta, è in perícolo il mio decɔro. 5
Son cavaliɛre. Dɛvo pagarla. Ma non hɔ danari.

Con. Che dite, signor Marcheɾe, della bellíssima
novità?

Mar. Di qual novità?

Con. Il cavaliɛre selvatico, il disprezzator delle 10
dɔnne, è innamorato di Mirandolina.

Mar. L'hɔ caro. Conosca suo malgrado* il
mɛrito di questa dɔnna; veda* che io non m'in-
vaghisco di chi non mɛrita; e peni e crɛpi* per
gastigo della sua impertinɛnza. 15

Con. Ma se Mirandolina gli corrisponde?

Mar. Ciɔ non puɔ ɛssere. Ella non farà a
me questo tɔrto. Sa chi sono. Sa cɔsa hɔ fatto
per lɛi.

Con. Io hɔ fatto per essa assai più di voi; ma 20
tutto è gettato. Mirandolina coltiva il Cavaliɛre
di Ripafratta; ha uɾato vɛrso di lui quelle attenzioni che non ha praticato nè a voi nè a me; e
vedesi* che colle dɔnne più che si fa, meno si
mɛrita,* e che, burlandosi esse di chi le adora, 25
corrono diɛtro a chi le disprɛzza.

2. **Come ... regolarmi,** *How am I to behave.* 3. **Se ricupero,** *If I
take back.* 4. **presso di lei,** *in her eyes.* 12–15. **Conosca suo malgrado
... veda ... e peni e crepi per gastigo.** (Imperative verbs.) *Let him
realize in spite of himself ... let him see ... and let him suffer and " croak "
in punishment.* To the proud Marquis, all things and people exist only
in relation to his noble self. Note, also, his next few speeches. 24. **vedesi** = *si vede,* " it is evident." 25. **più ... si merita,** *the more one does, the
less one is esteemed.*

Mar. Se ciò fosse vero . . . ma non può essere.

Con. Perchè non può essere ?

Mar. Vorreste mettere il Cavaliere a confronto di * me ?

Con. Non l'avete veduta voi stesso sedere alla 5 di lui * tavola ? Con noi ha praticato mai un atto di simile confidenza ? A lui biancheria distinta. Servito in tavola prima di tutti. Le pietanze * gliele fa ella colle sue mani. I servidori vedono tutto, e parlano. Fabrizio freme * di gelosia. E 10 poi quello svenimento, vero o finto che fosse, non è segno manifesto d'amore ?

Mar. Come ! A lui si fanno gl'intingoli saporiti, e a me carnaccia * di bue, e minestra di riso lungo ? * Sì, è vero, questo è uno strapazzo al mio grado, alla 15 mia condizione.

Con. Ed io che ho speso tanto per lei ?

Mar. Ed io che la regalava continuamente ? Le ho fino * dato da bere di quel mio vino di Cipro così prezioso. Il Cavaliere non avrà fatto con 20 costei una minima parte di quello che abbiamo fatto noi.

Con. Non dubitate che anch'egli l'ha regalata.

Mar. Sì ? Che cosa le ha donato ?

Con. Una boccettina d'oro con dello spirito di 25 melissa.

Mar. (*da sè.*) (Oimè !) Come lo avete saputo ?

Con. Il di lui servidore l'ha detto al mio.

---

5. mettere a confronto di, *compare with.* 6. la di lui, *his.* 8. pietanze, *dainties.* 10. freme, *is fuming.* 14. carnaccia ... lungo, *tough beef and thin rice soup.* 19. fino, *even.*

Mar. (Sempre peggio. Entro in un impegno col Cavaliere.)

Con. Vedo che costei è un'ingrata; voglio assolutamente lasciarla. Voglio partire or ora da questa locanda indegna.   5

Mar. Sì, fate bene, andate.

Con. E voi che siete un cavaliere di tanta riputazione, dovreste partire con me.

Mar. Ma . . . dove dovrei andare ?

Con. Vi troverò io un alloggio. Lasciate pen- 10
sare a me.*

Mar. Quest'alloggio . . . sarà, per esempio . . .*

Con. Andremo in casa d'un mio paesano.* Non ispenderemo nulla.

Mar. Basta; siete tanto mio amico, che non 15
posso dirvi di no.

Con. Andiamo, e vendichiamoci di questa femmina sconoscente.*

Mar. Sì, andiamo. (*Da sè.*) (Ma ! Come sarà poi della boccetta ? Son cavaliere, non posso 20
fare una mal'azione.)

Con. Non vi pentite,* signor Marchese; andiamo via di qui. Fatemi questo piacere, e poi comandatemi dove posso, che vi servirò.

Mar. Vi dirò, in confidenza, ma che nessuno lo 25
sappia: il mio fattore mi ritarda qualche volta le mie rimesse . . .*

Con. Le avete forse da dar qualche cosa ?

11. **Lasciate pensare a me,** *Leave it to me.* 12. **sarà, per esempio,** *might be, for example* . . . 13. **paesano,** *fellow-townsman.* 18. **femmina sconoscente.** New terms for Mir.: *ungrateful female.* 22. **Non vi pentite,** *don't repent,* i.e., *don't change your mind.* 27. **mi ritarda . . . rimesse,** *delays in sending me my checks.* Cf. *remittances.*

Mar. Sì, dodici zecchini.

Con. Dodici zecchini? Bisogna che sia dei mesi che non pagate.*

Mar. Così è, le devo dodici zecchini. Non posso di qua partire* senza pagarla. Se voi mi 5 faceste il piacere . . .

Con. Volentieri. Eccovi dodici zecchini. (*Tira fuori la borsa.**)

Mar. Aspettate. Ora che mi ricordo, sono tredici. (Voglio rendere il suo zecchino anche al 10 Cavaliere.)

Con. Dodici o tredici, è lo stesso per me. Tenete.

Mar. Ve li renderò quanto prima.*

Con. Servitevi quanto vi piace. Danari, a me, non me ne mancano; e per vendicarmi di costei, 15 spenderei mille doppie.

Mar. Sì, veramente è un'ingrata. Ho speso tanto per lei, e mi tratta così.

Con. Voglio rovinare la sua locanda. Ho fatto andar via anche quelle due commedianti. 20

Mar. Dove sono le commedianti?

Con. Erano qui: Ortensia e Deianira.

Mar. Come! Non sono dame?

Con. No. Sono due comiche. Sono arrivati i loro compagni, e la favola è terminata.* 25

Mar. (*da sè.*) (La mia boccetta!) Dove sono alloggiate?

Con. In una casa vicino al teatro.

---

3. **Bisogna . . . non pagate,** *It must be months since you have paid.*
5. **di qua partire** = *partire di qua.* 8. **borsa,** *purse.* 13. **quanto prima,** *as soon as possible.* 25. **la favola è terminata** translates the Latin *fabula acta est:* " the play is ended." Here " the play " is itself a play on words.

Mar. (Vado subito a ricuperare la mia boccetta.) (*Parte.*)

Con. Con costei mi voglio vendicar così. Il Cavaliere poi, che ha saputo fingere per tradirmi, in altra maniera me ne renderà conto. (*Parte.*)   5

SCENA XIII

Camera con tre porte.

Mirandolina, sola.

Oh meschina me! Sono nel brutto impegno!* Se il Cavaliere mi arriva,* sto fresca.* Si è indiavolato maledettamente. Non vorrei che il diavolo lo tentasse di venir qui. Voglio chiudere questa porta. (*Serra* la *porta da dove è venuta.*) Ora 10 principio quasi a pentirmi di quel che ho fatto. È vero che mi sono assai divertita nel farmi correr dietro a tal segno* un superbo, un disprezzator delle donne; ma ora che il satiro è sulle furie,* vedo in pericolo la mia riputazione e la mia vita 15 medesima. Qui mi convien risolvere qualche cosa di grande.* Son sola, non ho nessuno dal cuore* che mi difenda. Non ci sarebbe altri che quel buon uomo di Fabrizio, che in un tal caso mi

---

6. **brutto impegno,** *ugly mess.* 7. **mi arriva,** = *mi raggiunge:* " catches me." 7. **sto fresca,** *I'll be in for it.* 10. **serra,** *locks.* 13. **a tal segno** = *così.* 14. **sulle furie,** *in a rage, on the rampage.* 17. **mi convien . . . grande,** *I must make an important decision.* 17. **dal cuore.** An ambiguous phrase; either *near to my heart* (i.e., *dear to me*), or *who has the courage to.*

potesse giovare.* Gli prometterò di sposarlo...
Ma... prometti, prometti, si stancherà di cre-
dermi... Sarebbe quasi meglio ch'io lo sposassi
davvero. Finalmente con un tal matrimonio posso
sperar di mettere al coperto * il mio interesse e 5
la mia riputazione, senza pregiudicare alla mia
libertà.

SCENA XIV

Il Cavaliere di dentro, e detta; poi Fabrizio.

Il Cavaliere batte per di dentro alla porta.

Mir. Battono a questa porta; chi sarà mai?
(*S'accosta.*)

Cav. (*di dentro.*) Mirandolina. 10

Mir. (*da sè.*) (L'amico è qui.)

Cav. (*come sopra.*) Mirandolina, apritemi.

Mir. (*da sè.*) (Aprirgli? Non son sì gonza.)
Che comanda, signor Cavaliere?

Cav. (*di dentro.*) Apritemi. 15

Mir. Favorisca andare nella Sua camera, e mi
aspetti, che or ora sono da Lei.*

Cav. Vado: se non venite, povera voi! (*Parte.*)

Mir. "Se non venite, povera voi!" Povera me,
se vi andassi! La cosa va sempre peggio. Rime- 20
diamoci, se si può.* È andato via? (*Guarda al
buco della chiave.**) Sì, sì, è andato. Mi aspetta in

1. **giovare,** *help.* 5. **mettere al coperto,** *protect.* 17. **che ... da Lei,**
and I'll be with you immediately. 21. **Rimediamoci, se si può,** *Let's remedy it, if possible.* 22. **buco della chiave,** *key hole.*

camera; ma non vi vado. (*Ad un'altra porta.*)
Ehi! Fabrizio! Sarebbe bella* che ora Fabrizio
si vendicasse di me, e non volesse . . . Oh, non vi è
pericolo. Ho io certe manierine,* certe smorfiette,*
che bisogna che caschino, se fossero di macigno.* 5
(*Chiama ad un'altra porta.*)   Fabrizio!

Fab. Avete chiamato?

Mir. Venite qui; voglio farvi una confidenza.

Fab. Son qui.

Mir. Sappiate che il Cavaliere di Ripafratta si è 10
scoperto innamorato di me.

Fab. Eh, me ne son accorto!

Mir. Sì? Ve ne siete accorto? Io, in verità,
non me ne sono mai avveduta.

Fab. Povera semplice! Non ve ne siete accorta! 15
Non avete veduto, quando stiravate col ferro,
le smorfie che vi faceva? la gelosia che aveva
di me?

Mir. Io, che opero senza malizia, prendo le
cose con indifferenza. Basta; ora mi ha dette 20
certe parole, che in verità, Fabrizio, mi hanno
fatto arrossire.*

Fab. Vedete? Questo vuol dire perchè* siete
una giovane sola, senza padre, senza madre, senza
nessuno. Se foste maritata, non anderebbe così. 25

Mir. Orsù, capisco che dite bene; ho pensato di
maritarmi.

Fab. Ricordatevi di vostro padre.

Mir. Sì, me ne ricordo.

---

2. **Sarebbe bella.** See p. 2, note 4. 4. **manierine; smorfiette,** *coy mannerisms; kittenish ways.* 5. **di macigno,** *made of stone.* 22. **arrossire,** *blush.* 23. **Questo vuol dire perchè,** *This happens because.*

SCENA XV

Il Cavaliere di dentro, e detti.

Il Cavaliere batte alla porta dove era prima.

Mir. (*a Fabrizio.*) Picchiano.

Fab. (*forte verso la porta.*) Chi è che picchia?

Cav. (*di dentro.*) Apritemi.

Mir. (*a Fabrizio.*) Il Cavaliere!

Fab. (*s'accosta per aprirgli.*) Che cosa vuole? 5

Mir. Aspettate ch'io parta.

Fab. Di che avete timore?

Mir. Caro Fabrizio, non so, ho paura della*
mia onestà. (*Parte.*)

Fab. Non dubitate, io vi difenderò. 10

Cav. (*di dentro.*) Apritemi, giuro al cielo!

Fab. Che comanda, signore? Che strepiti sono
questi? In una locanda onorata non si fa così.*

Cav. Apri questa porta. (*Si sente che la sforza.*)

Fab. Cospetto del diavolo! Non vorrei preci- 15
pitare.* Uomini, chi è di là? Non ci è nessuno?

SCENA XVI

Il Marchese ed il Conte della porta di mezzo, e detti.

Con. (*sulla porta.*) Che c'è?

Mar. (*sulla porta.*) Che rumore è questo?

8. **ho paura della,** *I fear for.* 13. **non si fa così,** *such things aren't done.*
16. **precipitare,** *to start trouble,* or colloquially, "start something." This
word is not used thus in current Tuscan.

Fab. (*piano, che il Cavaliere non senta.*) Signori, Li prego: il signor Cavaliere di Ripafratta vuole sforzar quella porta.

Cav. (*di dentro.*) Aprimi, o la getto abbasso.*

Mar. (*al Conte.*) Che sia diventato pazzo?* 5 Andiamo via.

Con. (*a Fabrizio.*) Apritegli. Ho volontà per appunto* di parlar con lui.

Fab. Aprirò; ma Le supplico . . .

Con. Non dubitate. Siamo qui noi.   10

Mar. (*da sè.*) (Se vedo niente niente, me la colgo.)* (*Fabrizio apre, ed entra il Cavaliere.*)

Cav. Giuro al cielo, dov'è?

Fab. Chi cerca, signore?

Cav. Mirandolina dov'è?   15

Fab. Io non lo so.

Mar. (*da sè.*) (L'ha con* Mirandolina. Non è niente.)

Cav. Scellerata,* la troverò. (*S'incammina,* e scopre il Conte e il Marchese.*)   20

Con. (*al Cavaliere.*) Con chi l'avete?

Mar. Cavaliere, noi siamo amici.

Cav. (*da sè.*) (Oimè! Non vorrei per tutto l'oro del mondo che nota fosse* questa mia debolezza.)   25

Fab. Che cosa vuole, signore, dalla padrona?

---

4. **la getto abbasso,** *I'll smash it down.* 5. **Che . . . pazzo?** *Has he gone mad?* 8. **per appunto,** see Act I, page 45, note 16. 12. **Se vedo . . . colgo,** *If I see the slightest trouble, I'll "beat it."* (Inf. *cogliersela.*) Now *me la batto* or *scappo.* 17. **L'ha con,** *He is angry with.* This idiom will be found often in the next few pages. 19. **Scellerata,** *Wretch.* 19. **S'incammina,** *He starts forward.* 24. **nota fosse,** etc. Construe: *che questa mia debolezza fosse nota* (known).

Cav. A te non devo rendere questi conti. Quando comando, voglio esser servito. Pago i miei denari per questo, e giuro al cielo ! ella avrà che fare con me.

Fab. Vostra Signoria paga i Suoi denari per 5 essere servito nelle cose lecite* e oneste; ma non ha poi da pretendere, La mi perdoni,* che una donna onorata . . .

Cav. Che dici tu ? Che sai tu ? Tu non entri ne' fatti miei. So io quel che ho ordinato a 10 colei.

Fab. Le ha ordinato di venire nella Sua camera.

Cav. Va' via, briccone, che ti rompo il cranio.*

Fab. Mi maraviglio di Lei . . .

Mar. (a Fabrizio.) Zitto.   15

Con. (a Fabrizio.) Andate via.

Cav. (a Fabrizio.) Vattene via di qui.

Fab. (riscaldandosi.) Dico, signore . . .

Mar. Via. }
Con. Via. } (Lo cacciano via.)   20

Fab. (da sè.) (Corpo di bacco ! Ho proprio voglia di precipitare.*) (Parte.)

6. lecite, *lawful.* 7. non ha . . . perdoni, *you cannot expect — pardon my saying so —.* 13. Va' via . . . cranio, *Go away, scoundrel, or I'll smash your head.* 22. Ho . . . precipitare, *I really feel like starting something.*

SCENA XVII

Il Cavaliere, il Marchese ed il Conte.

Cav. (*da sè.*) (Indegna ! Farmi aspettar nella camera !)

Mar. (*piano al Conte.*) (Che diamine ha ?)

Con. (Non lo vedete ? È innamorato di Mirandolina.) 5

Cav. (*da sè.*) (E si trattiene con Fabrizio ? E parla seco di matrimonio ?)

Con. (*da sè.*) (Ora è il tempo di vendicarmi.) Signor Cavaliere, non conviene ridersi delle altrui * debolezze, quando si ha * un cuor fragile come il 10 vostro.

Cav. Di che intendete voi di parlare ?

Con. So da che provengono le vostre smanie.*

Cav. (*alterato, al Marchese.*) Intendete voi di che parli ? 15

Mar. Amico, io non so niente.

Con. Parlo di voi, che, col pretesto di non poter soffrire le donne, avete tentato rapirmi il cuore * di Mirandolina, ch'era già mia conquista.

Cav. (*alterato, verso il Marchese.*) Io ? 20

Mar. Io non parlo.

Con. Voltatevi a me, a me rispondete. Vi vergognate forse d'aver mal proceduto ?

Cav. Io mi vergogno d'ascoltarvi più oltre, senza dirvi che voi mentite. 25

Con. A me una mentita ?

9. altrui, *of others.* 10. si ha, *one has.* 13. smanie, *fuming* or *tantrum.* 18. rapirmi il cuore, *alienate the affections.*

Mar. (*da sè.*) (La cosa va peggiorando.*)

Cav. (*al Marchese, irato.*) Con qual fondamento potete voi dire ? ... (*Da sè.*) (Il Conte non sa ciò che si dica.*)

Mar. Ma io non me ne voglio impicciare.* 5

Con. Voi siete un mentitore.*

Mar. Vado via. (*Vuol partire.*)

Cav. (*lo trattiene per forza.*) Fermatevi.

Con. E mi renderete conto ...

Cav. Sì, vi renderò conto ... (*Al Marchese.*) 10 Datemi la vostra spada.

Mar. Eh via, acquietatevi tutti due. Caro Conte, cosa importa a voi che il Cavaliere ami Mirandolina ? ...

Cav. Io l'amo ? Non è vero; mente chi lo dice. 15

Mar. Mente ? La mentita non viene a me. Non sono io che lo dico.

Cav. Chi dunque ?

Con. Io lo dico e lo sostengo, e non ho soggezione di voi. 20

Cav. (*al Marchese.*) Datemi quella spada.

Mar. No, dico.

Cav. Siete ancora voi mio nemico ?

Mar. Io sono amico di tutti.

Con. Azioni indegne son queste. 25

Cav. Ah giuro al cielo ! (*Leva la spada al Marchese, la quale esce col fodero.*)

Mar. (*al Cavaliere.*) Non mi perdete il rispetto.

---

1. va peggiorando, *is getting worse.* 4. ciò che si dica, *what he is talking about.* 5. non ... impicciare, *don't want to be involved.* 6. mentitore, *liar.* 27. fodero, *scabbard.*

Cav. (*al Marchese.*) Se vi chiamate offeso, darò soddisfazione anche a voi.

Mar. Via, siete troppo caldo. (*Da sè, rammaricandosi.**) (Mi dispiace . . .)

Con. Io voglio soddisfazione. (*si mette in* 5 *guardia.*)

Cav. Ve la darò. (*vuol levar il fodero, e non può.*)

Mar. Quella spada non vi conosce . . .

Cav. (*sforza per cavarla.*) Oh maladetta !

Mar. Cavaliere, non farete niente . . .   10

Con. Non ho più sofferenza.

Cav. Eccola. (*Cava la spada, e vede essere mezza lama.**) Che è questo ?

Mar. Mi avete rotta la spada.

Cav. Il resto dov'è ? Nel fodero non v'è niente. 15

Mar. Sì, è vero: l'ho rotta nell'*ultimo duello; non me ne ricordavo.

Cav. (*al Conte.*) Lasciatemi provveder d'una spada.

Con. Giuro al cielo, non mi fuggirete di mano.   20

Cav. Che fuggire ? Ho cuore di farvi fronte* anche con questo pezzo di lama.

Mar. È lama di Spagna,* non ha paura.

Con. Non tanta bravura, signor gradasso.*

Cav. Sì, con questa lama. (*S'avventa* verso il* 25 *Conte.*)

Con. (*si pone in difesa.**) Indietro !

---

4. **rammaricandosi,** *grieving.* 13. **mezza lama.** The sword, proudly worn by the Marquis as the badge of his rank, is only a useless stump concealed by the scabbard. It aptly symbolizes its bearer.   21. **farvi fronte,** *to face you.* 23. **lama di Spagna,** *Toledo blade* (famed for its fineness).   24. **Non tanta . . . gradasso,** *Not so much bluster, Mr. Bully.* 25. **S'avventa,** *Rushes.* 27. **in difesa,** *on guard.*

SCENA XVIII

Mirandolina, Fabrizio e detti.

Fab. Alto,* alto, padroni !

Mir. Alto, signori miei, alto !

Con. (*vedendo Mirandolina.*) (Ah maladetta !)

Mir. Povera me ! Colle spade ?

Mar. Vedete ? Per causa vostra. 5

Mir. Come per causa mia ?

Con. Eccolo lì il signor Cavaliere. È innamorato
di voi.

Cav. Io innamorato ? Non è vero; mentite.

Mir. Il signor Cavaliere innamorato di me ? 10
Oh no, signor Conte, Ella S'inganna. Posso assicurarla che certamente S'inganna.

Con. Eh, che siete voi pur d'accordo . . .*

Mar. Si sa, si vede . . .

Cav. (*alterato, verso il Marchese.*) Che si sa ? 15
Che si vede ?

Mar. Dico che, quando è, si sa . . . Quando non
è, non si vede.

Mir. Il signor Cavaliere innamorato di me ?
Egli lo nega, e, negandolo in presenza mia, mi 20
mortifica, mi avvilisce e mi fa conoscere la sua
costanza e la mia debolezza. Confesso il vero, che
se riuscito mi fosse* d'innamorarlo, avrei creduto
di fare la maggior prodezza* del mondo. Un
uomo che non può vedere le donne, che le disprezza, 25

1. Alto, *Stop!* or *Halt!* 13. che siete voi pur d'accordo. Freely: *I
know that you are plotting together.* 23. se riuscito mi fosse, *if I had
succeeded.* 24. prodezza, *achievement.*

che le ha in mal concetto, non si può sperare d'innamorarlo.   Signori miei, io sono una donna
schietta* e sincera: quando devo dir, dico, e non
posso celare* la verità.   Ho tentato d'innamorare
il signor Cavaliere, ma non ho fatto niente.   (*Al* 5
Cavaliere.)   È vero, signore?   Ho fatto, ho fatto,
e non ho fatto niente.*

Cav.   (*da sè*.)   (Ah! non posso parlare.)

Con.   (*a Mirandolina*.)   Lo vedete?   Si confonde.   10

Mar.   (*a Mirandolina*.)   Non ha coraggio di dir
di no.

Cav.   (*al Marchese, irato*.)   Voi non sapete quel
che vi dite.*

Mar.   (*al Cavaliere, dolcemente*.)   E sempre l'a- 15
vete con me.

Mir.   Oh, il signor Cavaliere non s'innamora.
Conosce l'arte.   Sa la furberia* delle donne; alle
parole non crede; delle lagrime non si fida.   Degli
svenimenti poi se ne ride.   20

Cav.   Sono dunque finte le lagrime delle donne,
sono mendaci* gli svenimenti?

Mir.   Come!   Non lo sa, o finge di non saperlo?

Cav.   Giuro al cielo!   Una tal finzione meriterebbe uno stile* nel cuore.   25

Mir.   Signor Cavaliere, non Si riscaldi, perchè
questi signori diranno ch'è innamorato davvero.

Con.   Sì, lo è, e non lo può nascondere.

---

3. **schietta**, *straightforward*.   4. **celare**, *conceal*.   7. **Ho fatto ... niente**,
I have tried and tried, and have accomplished nothing.   14. **quel che vi
dite**, see p. 116, note 4.   18. **furberia**, *trickery*.   22. **mendaci**, *false*.
25. **stile**, *dagger*.

Mar. Si vede negli occhi.

Cav. (*irato, al Marchese.*) No, non lo sono.

Mar. E sempre con me !

Mir. No signore, non è innamorato. Lo dico, lo
sostengo, e sono pronta a provarlo.   5

Cav. (*da sè.*) (Non posso più.) Conte, ad
altro tempo mi troverete provveduto di spada.
(*Getta via la mezza spada del Marchese.*)

Mar. (*la prende di terra.*) Ehi ! la guardia*
costa denari.   10

Mir. Si fermi, signor Cavaliere, qui ci va della
Sua riputazione.* Questi signori credono ch'Ella
sia innamorato; bisogna disingannarli.*

Cav. Non vi è questo bisogno.

Mir. Oh sì signore. Si trattenga un momento. 15

Cav. (*da sè.*) (Che far intende costei ?) *

Mir. Signori, il più certo segno d'amore è quello
della gelosia, e chi non sente la gelosia certamente
non ama. Se il signor Cavaliere mi amasse, non
potrebbe soffrire ch'io fossi d'un altro *; ma egli lo 20
soffrirà, e vedranno . . .

Cav. Di chi volete voi essere ?

Mir. Di quello a cui mi ha destinato mio padre.

Fab. (*a Mirandolina.*) Parlate forse di me ?

Mir. Sì, caro Fabrizio, a voi, in presenza di 25
questi cavalieri, vo' dar la mano di sposa.

Cav. (*da sè, smaniando.*) (Oimè ! Con colui ?
Non ho cuor di soffrirlo.)

---

9. **guardia**, *hilt.* Now *impugnatura* or *elsa.* 12. **qui . . . riputazione**,
your honor is at stake here. 13. **disingannarli**, *undeceive them.* 16. **Che far
intende costei?** Construe: *Che intende far costei?* 20. **ch'io fossi d'un
altro**, *that I belong to another.*

Con. (*da sè.*) (Se sposa Fabrizio, non ama il Cavaliere.) Sì, sposatevi, e vi prometto trecento scudi.

Mar. Mirandolina, è meglio un ovo oggi, che una gallina domani. Sposatevi ora, e vi do subito do- 5 dici zecchini.

Mir. Grazie, signori; non ho bisogno di dote.* Sono una povera donna senza grazia, senza brio,* incapace* d'innamorar persone di merito. Ma Fabrizio mi vuol bene, ed io in questo punto alla 10 presenza Loro lo sposo.

Cav. Sì, maladetta, sposati a chi tu vuoi. So che tu m'ingannasti, so che trionfi dentro di te medesima* d'avermi avvilito, e vedo sin dove vuoi cimentare* la mia tolleranza. Meriteresti che io 15 pagassi gl'inganni tuoi con un pugnale nel seno*; meriteresti ch'io ti strappassi il cuore e lo recassi in mostra* alle femmine lusinghiere, alle femmine ingannatrici.* Ma ciò sarebbe un doppiamente avvilirmi. Fuggo dagli occhi tuoi: maledico le tue 20 lusinghe, le tue lagrime, le tue finzioni. Tu mi hai fatto conoscere qual infausto potere* abbia sopra di noi il tuo sesso, e mi hai fatto, a costo mio, imparare che per vincerlo non basta, no, disprezzarlo, ma ci conviene fuggirlo. (*Parte.*)   25

7. **dote,** *dowry.*   8. **brio,** *spirit.*   9. **incapace,** *incapable.*   14. **che m'ingannasti ... medesima,** *that you deceived me, that you are inwardly gloating.*   Note the *tu* form, used here in anger and contempt.   15. **cimentare,** *try.*   16. **con un pugnale nel seno,** *with a dagger in your heart.*   18. **lo recassi in mostra,** *I should hold it up as an example.*   19. **ingannatrici,** *deceitful.*   Masc. *ingannatore–i.*   22. **infausto potere,** *baleful power.*

SCENA XIX

Mirandolina, il Conte, il Marchese e Fabrizio.

Con. Dica* ora di non essere innamorato.

Mar. Se mi dà un'altra mentita, da cavaliere, lo sfido.*

Mir. Zitto, signori, zitto! È andato via; e se non torna, e se la cosa passa così, posso dire di 5 essere fortunata. Pur troppo, poverino, mi è riuscito d'innamorarlo, e mi son messa ad un brutto rischio. Non ne vo' saper altro.* Fabrizio, vien qui, caro, dammi la mano.

Fab. La mano? Piano un poco,* signora. Vi 10 dilettate d'innamorar la gente in questa maniera, e credete ch'io vi voglia sposare?

Mir. Eh via, pazzo! È stato uno scherzo, una bizzarria,* un puntiglio. Ero fanciulla; non avevo nessuno che mi comandasse. Quando sarò mari- 15 tata, so io quel che farò.

Fab. Che cosa farete?

1. **Dica.** Imperative: *Let him say.* 3. **lo sfido,** *I'll challenge him to a duel.* 8. **Non . . . altro,** *I want to forget all about it.* 10. **Piano un poco,** *Go easy there.* 14. **una bizzarria, un puntiglio,** *a mere caprice, a bit of spitework.*

SCENA ULTIMA

Il servitore del Cavaliere e detti.

Ser. Signora padrona, prima di partire son venuto a riverirvi.

Mir. Andate via ?

Ser. Sì. Il padrone va alla posta.* Fa attaccare*; mi aspetta colla roba, e ce ne andiamo a 5 Livorno.

Mir. Compatite, se non vi ho fatto . . .

Ser. Non ho tempo da trattenermi. Vi ringrazio, e vi riverisco. *(Parte.)*

Mir. Grazie al cielo, è partito.* Mi resta qualche 10 rimorso; certamente è partito con poco gusto. Di questi spassi non me ne cavo mai più.*

Con. Mirandolina, fanciulla o maritata che siate,* sarò lo stesso per voi.

Mar. Fate pur capitale della mia protezione.* 15

Mir. Signori miei, ora che mi marito, non voglio protettori, non voglio spasimati, non voglio regali. Sinora* mi sono divertita, e ho fatto male, e mi sono arrischiata troppo, e non lo voglio fare mai più.* Questi è mio marito.
20

Fab. Ma piano, signora . . .

4-5. **alla posta . . . attaccare,** *to the (stage-coach) station. He is having a carriage made ready.* 10. **è partito** refers to the Knight. 12. **Di questi . . . mai più,** *Never again will I indulge in such amusements.* 14. **fanciulla o maritata che siate,** *whether you are married or not.* 15. **Fate . . . protezione.** The Marquis has learned nothing and forgotten nothing, — not even his " theme song." 18. **Sinora,** *Up to now.* 20. **mai più.** These penitent words are ostensibly addressed to *signori miei* but are spoken for the benefit of Fabrizio, who is still somewhat dubious. Is he justified in this attitude ?

Mir. Che piano! Che cosa c'è? Che difficoltà ci sono? Andiamo. Datemi quella mano.

Fab. Vorrei che facessimo prima i nostri patti.*

Mir. Che patti? Il patto è questo: o dammi la mano, o vattene al tuo paese. 5

Fab. Vi darò la mano . . . ma poi . . .

Mir. Ma poi, sì, caro, sarò tutta tua; non dubitare di me, ti amerò sempre, sarai l'anima mia.

Fab. (*le dà la mano.*) Tenete, cara, non posso più.* 10

Mir. (*da sè.*) (Anche questa è fatta.)

Con. Mirandolina, voi siete una gran donna, voi avete l'abilità di condur* gli uomini dove volete.

Mar. Certamente la vostra maniera obbliga infinitamente.* 15

Mir. Se è vero ch'io possa sperar grazie da Lor signori, una ne chiedo Loro per ultimo.

Con. Dite pure.

Mar. Parlate.

Fab. (*da sè.*) (Che cosa mai adesso domanderà?) 20

Mir. Le supplico per atto di grazia a provvedersi d'un'altra locanda.

Fab. (*da sè.*) (Brava! Ora vedo che la* mi vuol bene.)

Con. Sì, vi capisco, e vi lodo. Me n'anderò, ma 25 dovunque* io sia, assicuratevi della mia stima.

Mar. Ditemi: avete voi perduta una boccettina d'oro?

Mir. Sì signore.

---

3. **Vorrei . . . patti,** *I should like to come to terms, first.* 10. **non posso più.** Supply *resistere.* 13. **condur** = *condurre,* "to lead." 15. **Certamente . . . infinitamente,** *You surely have a compelling way with you.* 23. **la.** See p. 28, note 3. 26. **dovunque,** *wherever.*

Mar. Eccola qui. L'ho io ritrovata, e ve la
rendo. Partirò per compiacervi; ma in ogni
luogo fate pur capitale della mia protezione.

Mir. Queste espressioni mi saran care, nei
limiti della convenienza * e dell'onestà. Cam- 5
biando stato, voglio cambiar costume *; e Lor
signori ancora profittino * di quanto hanno veduto,
in vantaggio e sicurezza del Loro cuore; e quando
mai Si trovassero * in occasioni di dubitare, di
dover cedere, di dover cadere,* pensino * alle ma- 10
lizie imparate, e Si ricordino * della Locandiera.

5. **convenienza,** *propriety.* 6. **costume,** *habits.* 7. **Lor signori...**
profittino, *May you gentlemen* (of the audience) *profit*... In plays of the
neo-classical period it was customary for the final speech to draw the moral
of the play, in a direct salutation like this. 8–10. **quando mai ... ca-**
dere, *if ever you should find yourselves in a situation which makes you*
wonder whether to yield and to fall. 10–11. **pensino: si ricordino.** Imperatives.

EXERCISES

I

ACT I, SCENES I, II

A. Questionnaire.

1. Quanto vale nella locanda il denaro del Conte ?
2. Perchè le distinzioni di Mirandolina si convengono più al
Marchese che al Conte ? 3. Che contea è quella d'Albafiorita ?
4. Quando l'ha comprata il Conte ? 5. Perchè si deve portar
rispetto al Marchese ? 6. E perchè anche a Mirandolina ?
7. Perchè il Conte è in Firenze e nella locanda ? 8. Chi non
farà niente ? 9. Di che ha bisogno Mirandolina ? 10. Che
cosa non manca al Marchese ? 11. Che cosa fa continuamente
il Conte ? 12. Che cosa non dice il Marchese ? 13. Perchè
non c'è bisogno di dirlo ? 14. Che dicono i camerieri ?
15. Perchè Fabrizio piace poco al Marchese ? 16. Che farà il
Conte se Mirandolina si sposa ? 17. E il Marchese che farà ?
18. Perchè fa egli segretamente quel che fa ? 19. In qual
modo dimostra Fabrizio di non conoscere le buone creanze ?
20. Che vuol sapere il Conte ? 21. E che vuol sapere il Marchese ? 22. Perchè è asino Fabrizio ? 23. Che differenza
osserva Fabrizio tra il Marchese e l'altro cavaliere ? 24. Che
deve dire Fabrizio alla padrona ? 25. Perchè non ha sbagliato
questa volta Fabrizio ? 26. Da quanto tempo si trova il
Marchese nella locanda ? 27. Che differenza passa fra il
Marchese e il Conte ? 28. Perchè il Marchese non getta
il suo denaro come i pazzi ? 29. Di che cosa vi è bisogno
per farsi stimare fuor del proprio paese ?

B. Memorize the following sentences:

1. Tanto vale il vostro denaro, quanto vale il mio.
   Your money is worth as much as mine.

2. Quest'è bella !
That's a good one !

3. Quel che fɔ non lo dico.
I don't talk about what I do.

4. La locandiera lo guarda di buɔn ɔcchio.
The innkeeper regards him favorably.

5. Non vogliamo trovarci imbrogliati.
We don't want to get into difficulties.

6. Ha parlato da uɔmo.
He has spoken like a man.

7. È venuto da me.
He has come to my house.

8. Che vuɔl dire questo ?
What does this mean ?

C. Scrambled Sentences.   Rearrange each group of
      words:

1. Fra, qualche, differenza, vi è, voi e me.
2. Forlipɔpoli, sono, di, io, Marcheʃe, il.
3. Della, protezione, mia, biʃogno, ha, Mirandolina.
4. Assai, la locandiera, guardi, parmi, lo, buɔn, di, che, ɔcchio.
5. Venga, di', me, padrona, da, alla, che.
6. Per, paeʃe, del, stimare, farsi, vɔgliono, suo, fuɔr, quattrini, essere.

D. Read aloud, changing the infinitive into present,
      future, and present perfect:

   I. La locandiera *usare* a me delle distinzioni.   2. Io *comprare* la contea.   3. Essi lo *credere*.   4. Noi *dare* il titolo al
signore.   5. Voi *sentire* quando io *parlare*.   6. Le dɔnne *amare*
chi *avere* denaro.

II

Act I, Scenes III, IV

A. Questionnaire.

1. Che cosa crede di fare il Conte con i regali ? 2. Quanto vale il *ti*tolo del Marche*s*e ? 3. Che cosa apprezza il Conte ? 4. Di che cosa vi è bi*s*ogno per av*e*r la stima di Mirandolina ? 5. Quando risp*e*ttano tutti ? 6. Su che disputava il Conte col Marche*s*e ? 7. Che sosti*e*ne il Conte ? 8. Perchè sono venuti a contesa ? 9. Che cosa pret*e*nde l'uno ? 10. Che cosa sp*e*ra l'altro ? 11. Che cosa bi*s*ogna sapere ? 12. Che cosa fa il Conte mentre il Marche*s*e prot*e*gge Mirandolina ? 13. Da qu*a*l per*i*colo è sicuro il Caval*ie*re ? 14. Perchè non ha mai amato nè stimato le d*o*nne costui ? 15. Che cosa ha Mirandolina ? 16. Com'è la padroncina della locanda ? 17. Che cosa si può cr*e*dere di Mirandolina quando l'ama il Marche*s*e ? 18. Che tratto ha Mirandolina ? 19. Quanto v*a*lgono per il Caval*ie*re tutte queste c*o*se ? 20. Da quanto t*e*mpo è nella locanda costui ? 21. Com'è Mirandolina per lui ? 22. Il Marche*s*e chi ha praticato ? 23. Che ha fatto per la locandiera il Conte ? 24. A che cosa è riuscito ? 25. Perchè non d*e*vono cr*e*dere a Mirandolina quei p*o*veri gon*z*i ? 26. Perchè d*e*ve pensare alla successione il Caval*ie*re ? 27. E perchè gli passa la volontà di pensarci ? 28. Che cosa vu*o*l fare delle sue ricchezze ? 29. Che nu*o*vo amico tr*o*va in questo momento ? 30. Che cosa stima più di Mirandolina ?

B. Memorize the following phrases:

1. Noi non facciamo stima di loro.
   We have no regard for them.
2. In un incontro, bi*s*ogna *e*sser bu*o*no di far un piacere.
   One must be ready to do a favor in a pinch.
3. L'h*o* fatto per cavarmi d'un capr*i*ccio.
   I did it to satisfy a whim.

4. Non ha avuto mai che dir con nessuno.
   He has never had words with anyone.
5. In quanto a questo poi, ne parleremo domani.
   As for this, we'll talk about it tomorrow.
6. Sin qua, egli ha ragione.
   So far he is right.
7. A me non la farebbe.
   He couldn't fool me.
8. Ci ho pensato più volte.
   I have thought about it repeatedly.

C. Scrambled Sentences.   Rearrange each group of words:

1. Pure, rotta, a, di, spendete, collo.
2. Punto, sopra, disputava, bellissimo, si, un.
3. Mette, ridicolo, conte, il, in, tutto.
4. Qua, marchese, sin, ragione, il, ha, signor.
5. Un, incatena, che, nobile, tratto, ha.
6. Innamorato, non, stato, mai, siete ?
7. Più, Venere, se, di, lascio, bella, la, fosse, ve.

D. Read aloud three times, changing the infinitive into present, future, and present perfect:

1. Tutti *rispettare* la locandiera. 2. Se io lo *guardare*, lo *trovare* bello. 3. Noi *unire* la gentilezza e il decoro. 4. Il Conte *regalare* e il Marchese *parlare*. 5. Voi *conoscere* la bella locandiera. 6. Lei *meritare* il rispetto di tutti.

III

Act I, Scenes V, VI

A. Questionnaire.

1. Come saluta Mirandolina ? 2. Chi dei signori la vuole ?

3. Dove la vuole il Marchese ? 4. Se il Marchese ha bisogno chi verrà a servirlo ? 5. Che dice il Cavaliere del contegno di Mirandolina ? 6. Dove le parlerà il Conte ? 7. Di che ? 8. Perchè sono belli gli orecchini ? 9. Perchè dice il Marchese che sarebbe un gran regalo ? 10. Come sono legati gli orecchini ? 11. Per qual ragione, il Conte fa questo regalo alla locandiera ? 12. Perchè li prende Mirandolina ? 13. Come ha da parlare il Marchese a Mirandolina ? 14. Che dice il Cavaliere della biancheria ? 15. Come la potrebbe chiedere ? 16. Perchè non ha bisogno il Cavaliere di far complimenti ? 17. Com'è con le donne ? 18. Potrà Mirandolina prendersi confidenza con lui ? 19. Che dice il Cavaliere alla locandiera ? 20. Mirandolina come chiama il Cavaliere? 21. Perchè vuol ella licenziarlo ? 22. Che farà il Marchese ? 23. Il Conte che farà ? 24. Per che altro pagherà volentieri ? 25. Perchè non ha bisogno Mirandolina delle loro offerte ?

B. Memorize the following phrases:

1. Sono legati alla moda.
   They are stylishly set.
2. Vi ho da parlare a quattr'occhi.
   I must speak to you in private.
3. Vi prega di riceverli per amor suo.
   He begs you to accept them for his sake.
4. Mi preme tenermi amici gli avventori.
   I am eager to keep on friendly terms with my customers.
5. Or ora lo licenzio.
   I shall send him away right now.
6. Si è dato l'incomodo di venir a visitarmi.
   He has taken the trouble to come to visit me.
7. Quando se n'andrà ?
   When will he go away?
8. Ha bisogno di qualche cosa ?
   Do you need something?

C. Scrambled Sentences. Rearrange each group of words:

1. Perchè, orecchini, quegli, Ella, darmi, vuole ?
2. Più, al, ella, ne, doppio, ha, belli, de'.
3. Spirito, di, quella, che, di, prontezza, dite ?
4. Donne, capitale, delle, nemico, è, egli.
5. Mirandolina, merito, cara, conoscono, vostro, tutti, il, non.
6. Mia, uso, protezione, pur, della, fate.

D. Read each sentence in the present perfect:

1. Mirandolina *arrivare* quando io *chiamare*. 2. Noi *andare* alla locanda per vedere la locandiera. 3. Essi *essere* a pranzo e *mangiare* volentieri.

Read each sentence in the present, future and present perfect respectively.

4. Essi *comprare* molto e io *pagare* tutto. 5. Quando *partire* il Marchese noi *supplire* tutto. 6. Voi *ricevere* i quattrini e poi li *buttare* via.

IV

ACT I, SCENES VII, VIII, IX

A. Questionnaire.

1. Chi è venuto a visitare il Conte ? 2. Dove non sta bene Mirandolina ? 3. Che cosa è venuto a fare l'orefice ? 4. Che vuol fare il Conte ? 5. Che cosa fa il Conte con i suoi denari ? 6. Perchè spendono, coloro che hanno quattro soldi ? 7. Come lo conosce il Marchese ? 8. Che cosa pensano costoro ? 9. Fanno male i regali ? 10. Perchè il Marchese non fa regali a Mirandolina ? 11. In che cosa vuole che Mirandolina lo comandi ? 12. Che cosa ha bisogno di sapere Mirandolina ?

13. Che sproposito vorrebbe dire il Marchese? 14. Che ha mai detto il Marchese? 15. Perchè lo chiama Arsura? 16. Che difficoltà vi sarebbe se egli volesse sposare Mirandolina? 17. Che cosa piace a costei? 18. Che cosa fanno coloro che arrivano alla locanda? 19. Che cosa le muove ora la bile? 20. Il Cavaliere chi non ha ancora trovato? 21. Con chi si mette di picca Mirandolina? 22. Di chi s'annoia presto presto? 23. In che cosa consiste il suo piacere? 24. Qual'è la sua condotta con i forestieri? 25. Di chi si vuol burlare ella? 26. Chi vuole vincere, abbattere e conquassare? 27. Che pensa delle donne?

B. Memorize the following phrases:

1. C'è uno che domanda di lui.
   There is someone asking for him.
2. Dove posso, comandatemi.
   When I can be of service, call on me.
3. Ci vado qualche volta.
   I go there sometimes.
4. Non so che farne.
   I don't know what to do with it.
5. Questo non fa per me.
   This does not do for me.
6. Non può veder le donne.
   He can't stand women.
7. È una cosa che mi muove la bile.
   It is something that makes me furious.
8. È rustico come un orso.
   He is as gruff as a bear.

C. Answer è *vero* or *non* è *vero* to each of the following:

1. Un professore ha venduto un gioiello al Conte. 2. Il Conte non stima i denari. 3. Il Marchese e il Conte sono buoni amici. 4. Il Marchese ama Mirandolina. 5. Egli vuol

essere ricco come il Conte.   6. Vuole spoſare la locandiera.
7. Mirandolina sarà contenta di spoſarlo.   8. La locandiera
è assai bella.   9. Ella è contenta di vedere che il Cavaliere non
la stima.   10. In queste coſe tutte le donne sono come Mirandolina.

D. Read aloud the following, first as written, then
putting article and noun both in the plural:

1. il legatore	7. lo spropoſito	13. l'orso
2. il giudízio	8. l'Eccellenza	14. il forestiere
3. l'orecchino	9. lo stato	15. il piacere
4. il denaro	10. il marcheſe	16. la nobiltà
5. lo stomaco	11. l'arrosto	17. la locanda
6. l'ingiuria	12. il signore	18. l'amante

19. l'arte   20. il cuore

V

Act I, Scenes X, XI, XII

A. Questionnaire.

1. Perchè grida e che dice il forestiere che è nella camera di
mezzo ?   2. Che cosa deve metter fuori Mirandolina ?
3. Perchè vuole servirlo ella ?   4. Che cosa ha Fabrizio ?
5. Perchè vuol tenerlo in isperanza Mirandolina ?   6. Come
si è sempre costumato ?   7. Come sono Fabrizio e Mirandolina coi forestieri ?   8. Di chi non ha biſogno ella ?   9. Se non
ne ha biſogno, di chi si deve provvedere ?   10. Quando si ri-
corderà Mirandolina di quel che le disse il padre ?   11. Perchè
Fabrizio non può soffrire certe cose ?   12. Perchè tratta bene i
forestieri Mirandolina ?   13. Chi non potrà lagnarsi di lei ?
14. Che cosa conosce Mirandolina ?   15. Chi è davvero
bravo ?   16. Perchè non può intenderla Fabrizio ?   17. Che

farebbe con essa ?   18. Perchè bisogna chiudere un occhio ?
19. Che cosa scrive al Cavaliere un suo amico ?   20. Per che
vanno maneggiando gli amici del Cavaliere di Ripafratta ?
21. Che cosa non vuole per i piedi il Cavaliere ?   22. Che lo
secca peggio di tutti ?   23. Come possono trattarsi fra di loro
il Marchese e il Cavaliere ?   24. Che cosa si deve fare, se si vuol
essere rispettati ?   25. Qual'è l'indole del Marchese ?   26. Perchè non dovrebbe il Marchese innamorarsi della locandiera ?
27. Perchè non c'è pericolo di stregamenti per il Cavaliere ?
28. Chi dà fastidio e inquietudine al Marchese ?   Perchè ?

B. Matching idioms.   Give the number of the
    phrase in the second column which translates
    the lettered phrase in the first column:

a. vi preme molto	1.	*to like [of persons]*
b. fare a suo modo	2.	*overlook some things*
c. me ne dispiace	3.	*mind your own business*
d. per i piedi	4.	*fail to keep one's word*
e. mancare di parola	5.	*it concerns you a great deal*
f. lo sanno pure	6.	*before*
g. voler bene	7.	*she knows what she is doing*
h. prima che	8.	*to have one's own way*
i. stare a vedere	9.	*to wait and see*
j. lasciar correre qualche cosa	10.	*in one's way*
k. badate a voi	11.	*I like*
l. sa quel che fa	12.	*I am sorry about it*
m. mi piace	13.	*what does it matter to me?*
n. che importa a me ?	14.	*they know, however*

C. Answer è *vero* or *non* è *vero* to each of the fol-
    lowing:

  1. Il Cavaliere si dichiara contento della biancheria.
2. Mirandolina vuol servirlo ella stessa. 3. Colui che dice
« Badate a voi » è molto garbato. 4. Il padre della locandiera

è mɔrto. 5. Ella non è una frasca. 6. Fabrizio le vuɔl bene.
7. La figlia del Conte Manna è mɔrta. 8. Il Cavaliere vuɔl
spoɹare. 9. Egli corre dietro alle dɔnne. 10. Le dɔnne non
mancano mai di parɔla.

D. Read aloud the following, first as written, then
putting article and noun both in the plural:

1. la camera	7. l'interesse	13. l'amicizia
2. lo sciɔcco	8. il regalo	14. lo scudo
3. la fedeltà	9. l'amore	15. il piɛde
4. il correttore	10. il tɛmpo	16. la moglie
5. il cameriere	11. l'ɔcchio	17. la fɛbbre
6. la frasca	12. l'amico	18. l'onore

19. la corteɹia   20. la parɔla

VI

Act I, Scenes XIII, XIV, XV (p. 26, l. 8)

A. Questionnaire.

1. Qual'è la prima stoccata che ha preso il Cavaliere? E
la seconda? 2. Dove sta il punto? 3. Che cɔsa darebbe il
Marcheɹe? 4. Che avrebbe già fatto il Cavaliere se avesse
denari? 5. Qual'è tutta la ricchezza del Cavaliere? 6. Di
che ha paura? 7. Che affare ha il Marcheɹe? 8. Quanto
voleva frecciare il Marcheɹe al Cavaliere? 9. Quanto gli ha
frecciato? 10. Gli prɛme di pɛrdere uno zecchino? Perchè
nɔ? 11. Che cɔsa gli prɛme di più? 12. Come entra Mirandolina in camera del Cavaliere? 13. Come le parla costui?
14. Di che lo supplica la locandiera? 15. Che cɔsa non pre-
tendeva il Cavaliere? Che cɔsa gli bastava? 16. Per chi ha
fatto quella biancheria Mirandolina? 17. Quante salviette
di tela di Fiandra ha ella? Per chi le serberà? 18. Che

cosa non si può negare ?   19. Che faccia ha il Cavaliere ?
20. Quando non s'incomoda Mirandolina ?   21. Che cosa
vorrebbe fare ella ?   22. Che paura ha Mirandolina ?   23. Che
fanno i gonzi ?   24. Che cosa mangerà il Cavaliere ?   25. Che
cosa vorrebbe sapere Mirandolina ?   Che cosa vuole ella che egli
dica con libertà ?   26. Che cosa dirà il Cavaliere al cameriere ?   27. Di che mancano gli uomini in queste cose ?
28. Che favore desidera Mirandolina dal Cavaliere ?   29. A
che cosa non riuscirà Mirandolina nè anche per quel verso ?

B. Matching idioms.

a. otto giorni	1. *in this manner*
b. questo mio amico	2. *willingly*
c. con riputazione	3. *as follows*
d. voler dire	4. *to your taste*
e. senza complimenti	5. *important engagement*
f. un'altra volta	6. *this friend of mine*
g. di Suo genio	7. *a week*
h. affare di premura	8. *be afraid*
i. non so che fare	9. *without formality*
j. non m'occorr'altro	10. *here is*
k. aver paura	11. *I don't need anything else*
l. per questo verso	12. *another time*
m. come segue	13. *I don't know what to do*
n. ecco	14. *to mean*
o. di cuore	15. *honorably*

C. Answer è *vero* or non è *vero* to each of the following:

1. Al Marchese non piace la cioccolata.   2. Il Cavaliere ha
prestato il suo ultimo zecchino al Marchese.   3. Mirandolina ha
gran soggezione del Cavaliere.   4. Ella vuol dargli della biancheria migliore perchè l'ammira e lo ama.   5. Le lenzuola sono
di tela di Fiandra.   6. Il Cavaliere ha insudiciato i tovaglioli.[1]

[1] i tovaglioli = le salviette

7. Se egli vorrà qualche cosa, lo dirà al cameriere. 8. Il Cavaliere trova che la locandiera non parla come le altre donne. 9. Mirandolina, che ama tanto la sincerità, è molto sincera col Cavaliere. 10. Ella è molto contenta di sapere che il Cavaliere non ama le donne.

D. Read aloud the following, first as written, then putting article and noun both in the plural:

1. la cioccolata	7. il pugno	13. il pranzo
2. il complimento	8. la riputazione	14. l'indiscretezza
3. il fattore	9. la difficoltà	15. il lenzuolo
4. lo zecchino	10. il cuore	16. il braccio
5. il punto	11. la moneta	17. la verità
6. l'impegno	12. l'affare	18. l'uomo

19. l'attenzione   20. l'intingoletto

VII

Act I, Scene XV (p. 26, l. 9–end)

A. Questionnaire.

1. Qual'è la debolezza di quei due altri Cavalieri ? 2. Che ha in testa la locandiera ? 3. Che cosa cercano di fare i locandieri ? 4. Perchè danno buone parole ? 5. Quando ride Mirandolina ? Come ride ? 6. Che cosa in lei piace al Cavaliere ? 7. Con chi sa fingere ? 8. Che cosa non ha mai dato Mirandolina a quei signori ? 9. E che tipo d'uomo non può vedere ? Chi abborrisce anche ? 10. Perchè non ha voluto mai maritarsi, nonostante le buone occasioni ? 11. Che cosa è la libertà ? Come la perdono tanti ? 12. Che cosa vedono e sentono le locandiere ? Chi è compatito da Mirandolina ? 13. Perchè ha ella premura di partire ? 14. Come fa con gli altri ? 15. Che cosa non darebbe Mirandolina agli

uomini? 16. Che cosa avrà Mirandolina per il Cavaliere?
17. Per qual motivo tanta parzialità per lui? 18. Che farà il
satiro? 19. Quali sono gli amori e i passatempi di Mirandolina? 20. Perchè le piace il Cavaliere?

B. Matching Idioms.

a. mi caschi il naso	1. *to have other things to think about*
b. far all'amore con	2. *just ask*
c. da uomo	3. *to give heed to*
d. poco meno	4. *it's not for me to*
e. faccende di casa	5. *to pay court to*
f. non . . . che	6. *like a man*
g. per me	7. *I shall be glad to see you*
h. dar retta a	8. *however, moreover*
i. vi vedrò volentieri	9. *housework*
j. a poco a poco	10. *only*
k. a me non tocca a	11. *little by little*
l. avere altro in testa	12. *that's enough*
m. basta così	13. *almost*
n. per altro	14. *on my account*
o. domandi un poco	15. *I'll eat my hat*

C. Tell which English phrase best translates the Italian:

1. Abbiamo altro in testa noi: (a) *We have another test;*
   (b) *We have other things to think about;* (c) *Let's have another test.*

2. Mi piace la vostra sincerità: (a) *you please me by your frankness;* (b) *your frankness pleases me;* (c) *I like your
   frankness.*

3. Con chi vi fa la corte: (a) *with whom do you go to court?*
   (b) *with the one who courts you;* (c) *who makes you court
   him?*

4. Guardimi il cielo: (a) *Heaven forbid!* (b) *Heaven guards me;* (c) *Heaven sees me;* (d) *look at heaven for me.*

5. Domandi un poco: (a) *demand a little;* (b) *are you asking me?* (c) *just ask.*

6. Il mio interesse non lo vuole: (a) *my interests can not allow it;* (b) *My interest is not wanting;* (c) *don't you want to interest me?*

7. Con Lei posso trattare con libertà: (a) *I can treat her freely;* (b) *she can treat with liberality;* (c) *I can talk with you freely.*

D. Reading aloud, supply the definite article for each noun; then change each phrase from the singular to the plural or *vice versa:*

1. —— cavaliere	7. —— uomo	13. —— piacere
2. —— interessi	8. —— occasioni	14. —— altri
3. —— bottega	9. —— libertà	15. —— debolezza
4. —— corti	10. —— tesoro	16. —— miserie
5. —— signore	11. —— moglie	17. —— mano
6. —— spasimato	12. —— verità	18. —— attacchi

19. —— uso   20. —— amori

VIII

Act I, Scenes XVI, XVII, XVIII, XIX

A. Questionnaire.

1. Che potrebbe fare Mirandolina? 2. Che cosa è poco comune in costei? 3. Che cosa ha di straordinario? 4. Per che si fermerebbe il Cavaliere con questa piuttosto che con un altra donna? 5. Come sono quelli che s'innamorano 6. Quante camere fa osservare Fabrizio alle due signore

7. Per che servono quelle camere ? 8. È padrone o cameriere, Fabrizio ? 9. Come tratta le nuove arrivate ? 10. Che cosa bisogna secondare ? 11. Con chi vuol parlare Ortensia ? 12. Perchè Fabrizio prende le due donne per dame ? 13. Perchè Fabrizio le tratterà meglio ? 14. Quanto farà pagar loro ? 15. E circa i conti, con chi avrà da fare ? 16. Che faranno i compagni delle commedianti quando verranno ? 17. Perchè non possono arrivare per quel giorno ? 18. Perchè verranno in barca? 19. Come son venute le due donne ? 20. Che cosa si sarebbe fatto se Ortensia non fosse stata alla porta ? 21. Che onore si darà Fabrizio ? 22. Che cosa fa Ortensia molto bene ? 23. Perchè devono dare il loro nome costoro ? 24. Che cosa finisce se danno il nome ? 25. Come lo danno molti ? 26. Che cosa scrivono i locandieri ? 27. Che spera Fabrizio, e che cosa non mancherà ?

B. Matching Idioms.

a. all'aria	1. *too bad for me*
b. far sulle scene di contesse	2. *it takes two days*
c. entrare in un impegno	3. *very well*
d. un non so che	4. *this is going to be good*
e. meschino me	5. *to address as " Mr."*
f. avrà da fare con me	6. *to be faint-hearted*
g. dare del signore	7. *to make use of*
h. va bene	8. *to play the rôle of countesses*
i. un libro di più	*on the stage*
j. ci vogliono due giorni	9. *from their appearance*
k. essere di poco spirito	10. *a certain something*
l. ora viene il buono	11. *as for this*
m. or ora	12. *one more*
n. in quanto a questo	13. *to get into difficulties*
o. valersi di	14. *he will have to deal with me*
	15. *shortly, very soon*

C. Tell which English phrases best translate the Italian:

1. Per servirsene: (a) *for services;* (b) *to make use of it;* (c) *to serve himself.*

2. Ci dà delle illustrissime: (a) *give us some illustrations;* (b) *the illustrious are here;* (c) *he calls us " Your Lady-ships."*

3. Il lazzo: (a) *the joke;* (b) *the lasso;* (c) *the lazy person.*

4. La servo: (a) *the servant;* (b) *the service;* (c) *I'll serve you.*

5. Ci ha creduto due dame: (a) *credit is due the ladies;* (b) *he believed us to be two ladies;* (c) *two ladies gave us credit.*

6. Guardate che bestialità ! (a) *guard the animals;* (b) *regard these beasts!* (c) *the guardians are bestial;* (d) *oh how stupid!*

7. Scriviamo il nome che ci dettano: (a) *we write the name that they tell us;* (b) *they tell us to write our name;* (c) *they write us the name that we tell here;* (d) *they tell us the name we should write.*

8. La padrona sarà a servirle: (a) *the mistress will be a servant;* (b) *the mistress will be at your service;* (c) *the patron will be servile.*

D. Reading aloud, supply the definite article for each noun. Then change each phrase from the singular to the plural or *vice versa.*

1.	—— divertimento	11.	—— commediante
2.	—— camera	12.	—— difficoltà
3.	—— padrone	13.	—— marchesa
4.	—— abiti	14.	—— compagno
5.	—— conto	15.	—— recita
6.	—— anni	16.	—— onori
7.	—— mondo	17.	—— parte
8.	—— impegno	18.	—— nome
9.	—— amiche	19.	—— passeggieri
10.	—— spiriti	20.	—— negozio

IX

Act I, Scene XX

A. Questionnaire.

1. Come parlano le comiche ? 2. A chi s'inchina la locandiera ? 3. Come saluta Ortensia ? 4. Che cenno fa Ortensia a Deianira ? 5. Perchè è gentile Mirandolina ? 6. Come deve Deianira gradire le finezze di Mirandolina ? 7. Perchè ride la cara contessa ? 8. Perchè a Mirandolina non paiono dame ? 9. Perchè ride Deianira del barone ? 10. Con chi verrà egli quanto prima ? 11. Perchè non si deve riscaldare Ortensia ? 12. Che cosa voleva dire Deianira ? 13. Perchè non si mostra brava commediante costei ? 14. Dove sa fingere ? 15. Che cosa loda la locandiera ? 16. Quali persone ama ella ? 17. Se in caso vengono persone di alto rango, che cosa devono fare le due donne ? 18. Se cedono l'appartamento, dove andranno ? 19. Quando spende il suo denaro che cosa desidera Ortensia ? 20. Chi si vede mentre le tre donne parlano ? 21. Che fa questo cavaliere ? 22. Che cosa non sa Mirandolina ?

B. Idiom Drill. Supply the proper form of the Italian idiom required by the English words:

i fatti suoi   mi prendo spasso

voler dire   mettere in dubbio

mi vien da ridere   qualche volta

quanto prima

1. Manderò il libro *very soon.*
2. *I feel like laughing.*
3. *He casts doubt upon* le parole di Giovanni.
4. Egli sa che cosa *you meant.*
5. Vedo l'amico di Elena *sometimes.*
6. Io non so *his affairs.*
7. *I am having* un po' di *fun.*

C. Tell which English phrase best translates the Italian:

1. quanto mi vien da ridere! (a) *how many come to laugh at me!* (b) *how much I feel like laughing!* (c) *I come to laugh so much!*

2. Permetta ch'io Le baci la mano: (a) *allow me to kiss your hand;* (b) *I allow you to kiss my hand;* (c) *kissing your hand is allowed.*

3. Ride ancora di me: (a) *ride again with me;* (b) *laugh again at me;* (c) *ride at anchor with me;* (d) *she is still laughing at me.*

4. Nessuno ci sente: (a) *nobody sent us;* (b) *nobody hears us;* (c) *we sent nobody;* (d) *we hear nobody.*

5. Che cosa vorreste voi dire? (a) *What might you mean?* (b) *What did you want to say?* (c) *What did she say to you?*

6. Via, che serve? (a) *come, what servant?* (b) *what way do you serve?* (c) *come, what's the use?*

7. Mi prendo un poco di spasso: (a) *I take a little space;* (b) *I take a little walk;* (c) *I have a little fun.*

8. Intendo volere esser servita: (a) *I intend to steal like a servant;* (b) *I mean to be served;* (c) *Meanwhile I want to be a servant.*

D. Read aloud the following, first as written, then in the plural:

1. il vostro merito
2. la dama cerimoniosa
3. la piccola mano
4. questa giovane signorina
5. il grande sproposito
6. l'altro cavaliere
7. l'amico suo
8. il signor conte
9. la vecchia baronia
10. il mio denaro

X

Act I, Scene XXI

A. Questionnaire.

1. Chi domanda permesso d'entrare ? 2. Perchè dice Mirandolina che le commedianti sono dame ? 3. Che cosa vuol seguitare a fare la locandiera ? 4. Di che ha piacere il Marchese ? 5. Che cosa offre egli ? 6. Quando si chiamerà felice Deianira ? 7. Perchè dice ella un concetto da commedia ? 8. Che fa il Marchese col fazzoletto che tira fuori di tasca ? 9. Da dove viene questo fazzoletto ? 10. Perchè non sa spendere il Conte ? 11. Perchè ha buon gusto il Marchese ? 12. Come bisogna piegare e custodire il fazzoletto ? 13. A chi lo presenta il Marchese ? 14. Perchè lo accetta Mirandolina ? 15. Che pensa la locandiera dopo averlo accettato ? 16. Di che ha volontà Deianira ? 17. Che risponde il Marchese ? 18. Perchè potrà egli mandare un bravo calzolaio a Ortensia ? 19. Quale calzolaio le manderà ? 20. Che favore pretendono ora le commedianti dal Marchese ? 21. Perchè non deve aver gelosia Mirandolina ?

B. Idiom Drill. Supply the proper form of the Italian idiom required by the English words:

con attenzione

non mi occorre nulla

di garbo

fare capitale di

mi fa andare (montare) in collera

porre in soggezione

essere pratico di

di cuore

1. *He will count on me.*
2. È una donna *courteous.*
3. *He is acquainted with* la città.
4. Grazie. *I do not need anything.*
5. Leggerò il libro *gladly.*
6. Il cavaliere *makes me get angry.*

7. Piega il fazzoletto *carefully*.
8. Le parole della locandiera *have confused* Ortensia.

C. Word Study.

I. Certain types of cognates are quite obvious, such as *generoso*, " generous "; *donare*, " donate "; *disgustare*, " disgust "; *compagnia*, " company." These related words are very helpful, but you should always ask yourself whether the English cognate word really fits the context. The Marquis would surely not say: " I *donate* the handkerchief to you," and Mirandolina, who is not crude in speech or manners, would not reply: " I don't want to *disgust* anyone." Cognates are usually an aid to translation, but very often they are not the translation itself.[1]

Find at least ten cognate forms in the Vocabulary. Do they all have exactly the same meaning as the corresponding English word ? If not, how do they differ ?

II. No less helpful are certain less obvious cognates which can be recognized with a little care: *fiore*, " flower "; and *piatto*, " plate," are typical of many words which you can identify at sight if you will remember that the *i* often stands for an *l* after a *p, b, f, ch,* or *gh*. List as many words of this kind as you can find in the Vocabulary. How many can you find ? Watch for others in your reading.

D. Read aloud the following, first as written, then in the plural:

1. servo di Vostra Eccellenza
2. il cavaliere così compito
3. il mio piacere
4. la vostra bontà
5. la sua protezione
6. il signor Marchese
7. l'umile locanda
8. la bella galanteria
9. questo fazzoletto di seta
10. nella loro camera

[1] All students of Italian should own that excellent little handbook listing the " false friends " whose treachery has been proved in the classroom: Rudolph Altrocchi, *Deceptive Cognates*, University of Chicago Press (75 cents). Also of value is Carlo Rossetti, *Tranelli dell'inglese*, Edizioni " Le Lingue estere," Milano.

XI

Act I, Scenes XXII, XXIII

A. Questionnaire.

1. Il Conte chi cercava ? 2. Che vuole il Marchese che mostri Mirandolina ? 3. Perchè le dice « Riponetelo via » ? 4. Perchè vuol dire il Conte una parola alla locandiera ? 5. Di che è compagno il piccolo gioiello di diamanti ? 6. Mentre il Conte mostra il gioiello a Mirandolina, che fanno le commedianti ? 7. Perchè lo accetta Mirandolina ? 8. Qual'è più di buon gusto il gioiello o il fazzoletto ? 9. Perchè è Ortensia mezza patriotta del Conte ? 10. Perchè se ne potrà servire Deianira ? 11. Perchè fa preparare per tre il Conte? 12. Perchè si lagna il Marchese ? 13. Il Conte perchè ha invitato le due commedianti a pranzare con lui ? 14. Con che aveva pensato il Conte di innamorare Mirandolina ? Ed il Marchese ? 15. Se dovesse attaccarsi con uno dei due, con chi lo farebbe Mirandolina ? 16. In quale impegno è la locandiera ? 17. Che non darebbe per un tal piacere ? 18. Quando non si può resistere ad una donna ? 19. Chi non può temer d'esser vinto ? 20. Chi deve cadere a suo dispetto ?

B. Idiom Drill. Supply the proper form of the Italian idiom required by the English words:

credo di sì a mio bell'agio
presto o tardi fare una mala creanza
per altro in piedi
a suo dispetto

1. *She will not be discourteous.*
2. È bella la locandiera ? *I believe so.*
3. Sono stanco di stare *standing*.
4. *However,* lo farò.
5. *Sooner or later,* troverà il gioiello.

6. Leggerò il libro *at my leisure*.
7. Deve cadere *in spite of himself*.

C. Word study.

I. English words with the prefix *ex-* frequently correspond to Italian words beginning with *es-*:

ENGLISH	ITALIAN
exalt	esaltare
executor	esecutore
exorbitant	esorbitante
external	esterno
explore	esplorare

When followed by a consonant, the Italian prefix *es-* sometimes shortens to *s-*:

excuse	scusa
expedition	spedizione
extend	stendere

II. The Italian prefix *s-* is often a mere shortening of *dis-*, and it then gives a meaning contrary to that of the stem:

ENGLISH	ITALIAN STEM WORD	ITALIAN COMPOUND WORD
favorable	favorevole	sfavorevole
load	caricare	scaricare
fold	piegare	spiegare
appear	comparire	scomparire

III. On the other hand, the Italian prefix *s-* sometimes indicates a strengthening or emphasis of the meaning of the stem word:

beat	battere	sbattere
rush upon	lanciarsi	slanciarsi
grow thin	magrire	smagrire
frenzy	mania	smania

Go through pages xxxii–xxxv of the Vocabulary and make lists of the *s*- words which correspond to groups I, II, and III above. Use other books also.

D. Read aloud the following, first as written, then in the plural:

1. la serva divota
2. quell' altro signore
3. il bel regalo
4. il bravo signor Marchese
5. il compagno dell' orecchino

6. la grande spesa sua
7. il mio interesse
8. l'avventore napolitano
9. la loro abilità
10. la ridicola arte sua

XII

Act II, Scenes I, II, III

A. Questionnaire.

1. Perchè Fabrizio non parla volentieri col Cavaliere? 2. Perchè è sciocco il Cavaliere? 3. Quando si pranza stamattina? 4. Quando è stata servita la camera del Cavaliere? 5. Che strepitava il Conte? 6. Com'è obbligato il Cavaliere a Mirandolina? 7. Perchè parte il servitore? 8. Che cosa non ha trovato il servitore del Cavaliere? 9. Dove andrà domani il Cavaliere? 10. Quanto tempo, dunque, resta a Mirandolina? 11. Che ci vuole prima che il Cavaliere superi la sua avversione per le donne? 12. Che cosa ha detto la padrona? 13. Come ha fatto ella la salsa? E il Cavaliere, che ne dice? 14. Che prodigio succede? 15. Se farà così Mirandolina, chi avrà sempre? 16. Che cosa non si può negare? 17. Che altra cosa stima in lei il Cavaliere? 18. Perchè non può egli veder le donne? 19. Il Cavaliere di che ringrazia Mirandolina? 20. E ella che cosa sta facendo? 21. Che cosa desidera il Cavaliere dal servitore? 22. Come bisogna cor-

rispondere con Mirandolina ? Perchè ? 23. Che cosa bisogna fare ? 24. Quando è andato a pranzo il Conte ? 25. Che cosa fa egli oggi ? 26. Chi ha con lui ? 27. Quando sono arrivate le due dame ? 28. Che cosa ha fatto il Conte appena le ha vedute ? 29. Qual'è la debolezza del Conte ?

B. Supply the proper form of the Italian idiom required by the English words:

far torto	sarebbe da ridere
ringraziare di	poche ore sono
dare da bere	prima del solito
credo di no	il primo

1. Quest'uomo non voleva *give something to drink* al suo amico.
2. È stato qui *a few hours ago.*
3. Il servitore non vuole *do an injustice* al padrone.
4. Oggi l'ho veduto *earlier than usual.*
5. Ella lo ha servito *first.*
6. Mirandolina *thanks* il cavaliere *for* il regalo.
7. Ha veduto la nuova commedia ? *I think not.*
8. *It would be funny* se venisse il maestro.

C. Sentence building. Complete each sentence to make it mean the same as the English sentence:

1. *I speak to him willingly.*
   Gli parlo ——.
2. *The dinner is served.*
   Il pranzo ——.
3. *We are eating earlier than usual.*
   Si pranza prima ——.
4. *This room has been served first of all.*
   —— camera è stata servita prima ——.

5. *I like everything.*
   Mi —— tutto.
6. *She herself made it with her own hands.*
   L'ha fatto ella ——.
7. *Tell her that I thank her.*
   Dille che ——.
8. *That which I like most about her, is sincerity.*
   —— più stimo ——, è ——.
9. *Give me a drink.*
   Dammi ——.
10. *The ladies arrived a few hours ago.*
    Le donne sono arrivate ——.
11. *I think not.*
    Credo ——.
12. *They are women, and that's enough.*
    Sono donne, e ——.

D. **Adjective position and agreement. Supply the proper form of the adjective (and article if required), and be careful to place in correct position:**

1. Il Cavaliere legge (*an old*) libro.
2. Il mio padrone è (*a peculiar*) uomo.
3. (*Bad*) uomini non vengono a questa locanda.
4. A questi (*poor*) sciocchi non piacciono le donne.
5. È una (*well bred*) donna.
6. (*Weak*) uomini si lasciano innamorare.
7. È (*an exquisite*) salsa.
8. La sincerità è (*a fine*) cosa.
9. (*Deceitful*) donne non mi piacciono.
10. (*Flattering*) uomini sono sempre troppo (*polite*).

XIII

Act II, Scene IV

A. Questionnaire.

1. Che onore domanda Mirandolina ? 2. Chi è ella ? 3. Perchè non serve tutti in tavola ? 4. Perchè sarà buono l'intingoletto ? 5. Di quali persone è provveduta la casa ? 6. Che cosa ha ella ? Che sanno fare le sue mani ? 7. Qual'è la passione di Mirandolina ? 8. Che permesso domanda ella al Cavaliere ? 9. Perchè teme che il vino le faccia male ? 10. Che cosa desidera che le favorisca il Cavaliere ? 11. Perchè sembra al servitore che il suo padrone voglia morire ? 12. Perchè non vorrebbe che il Conte e il Marchese lo sapessero ? 13. Che cosa non deve dire a nessuno il servitore ? 14. Che cosa sorprende costui ? 15. Alla salute di che cosa beve Mirandolina ? 16. A chi non tocca il brindisi ? 17. Il Cavaliere che cosa non vorrebbe mutare ? 18. Che cosa vuol farsi cucinare ora ? Perchè ? 19. Che verità dice il Cavaliere a Mirandolina ? 20. Fra chi si dà qualche volta della simpatia e del genio ? 21. Che cosa sente per lui anche Mirandolina ? 22. Perchè gli dice queste cose ? 23. Se egli è un uomo savio che cosa deve fare ? 24. E se lui non fa questo, che cosa farà lei ? 25. Che cosa si sente ella di dentro ? 26. Per chi non vuole impazzire ? 27. Perchè vuol ubbriacarsi il Cavaliere ?

B. Supply the proper form of the Italian idiom required by the English words:

da noi
non avere che
stare in disagio
avere da fare

con vezzo
in verità
che c'è ?
alle volte

1. *He has only* cinque libri.
2. *As a matter of fact* mi piace leggere.

3. Domani verrà *to see us*.
4. Parlò *coyly* al Cavaliere.
5. *What is the matter?*
6. *At times* non so che dire.
7. Sapevo bene che egli *was ill at ease*.
8. *If he is busy* lo vedrò un'altra volta.

C. Sentence building. Complete each sentence to make it mean the same as the English sentence:

1. *May I come in?*
   È —— ?
2. *This is not your duty.*
   Questo non è ——.
3. *Gentlemen, I come to your room without hesitation.*
   Signori, io vengo —— senza scrupoli.
4. *It must be good.*
   —— buono.
5. *In my opinion.*
   —— me.
6. *You have good taste in everything.*
   Voi siete —— in tutto.
7. *What's the matter?*
   —— c'è ?
8. *You will have no cause to complain of me.*
   Di me non —— dolervi.
9. *Help yourself.*
   —— padrone.
10. *There's no danger.*
    Non —— pericolo.
11. *Poor me!*
    —— me !
12. *He can't stand women.*
    Le donne non —— vedere.
13. *He is on the verge of falling.*
    Sta —— per cadere.

D. Adjective position and agreement. Supply the proper form of the adjective (and article if required), and be careful to place in correct position:

1. Lasci ch'io lo metta in tavola con (*my*) mani.
2. Questi (*good*) intingoletti sono (*delicious*).
3. Ecco (*a new*) piatto che ho preparato io.
4. Queste mani sanno fare (*some fine*) cose.
5. Il Borgogna è (*the best*) vino che si possa bere.
6. La loro (*long*) conversazione è (*easy*) a capire.
7. Il vino si beve in (*little*) bicchieri.
8. Voglio leggerle due (*true*) racconti.
9. (*New*) discorsi non tentano la locandiera.
10. Ecco il mio bicchiere e (*yours*).

XIV

Act II, Scenes V, VI

A. Questionnaire.

1. Di che si rallegra il Marchese? 2. Che dice della locandiera? 3. Perchè era lì Mirandolina? 4. Che cosa le è venuto? 5. Che cosa ha fatto il Cavaliere? 6. Per che l'ha pagato lui quel vino? 7. Che cosa saprà dire il Marchese? E quando? 8. Perchè il Marchese non vuole il bicchierino tanto piccolo? 9. Che licenza vuole Mirandolina dal Cavaliere? 10. Perchè non può ella restare ancora un poco? 11. Che vuol farle bere il Marchese? 12. Perchè avrà gelosia egli? 13. Che ne dice la locandiera? 14. Chi si vendica del Cavaliere? 15. Dov'è il vino di Cipro del Marchese? 16. Com'è la bottiglia? 17. Come si beve questo vino? 18. Che parere ne dà il Cavaliere a Mirandolina? E Mirandolina a lui?

19. Che ne dicono poi al Marchese? **20.** Se non conosce il vino di Cipro, che conosce Mirandolina? **21.** Dove sta il vanto del Cavaliere? **22.** E quello della locandiera? **23.** Come mostra il Marchese la sua generosità? **24.** Perchè non versa tutto il vino nei bicchierini? **25.** Che cosa fa male al Marchese? **26.** Com'è innamorato di Mirandolina? **27.** Cosa non ha mai provato il Cavaliere? **28.** Perchè lascia stare vicino a lui Mirandolina? **29.** Che principia a fare il Marchese?

B. Supply the proper form of the Italian idiom required by the English words:

me ne dispiace	domandar scusa
aver gelosia	che vi pare di
da chè	star meglio
mi fa male	ai fatti miei

1. *Since* sono qui non l'ho potuto vedere.
2. *What do you think of* questo vino di Cipro?
3. Ha perduto il regalo. *I am sorry about it.*
4. Gli ha detto che il vino *makes me ill.*
5. Mi dispiace, ma ho da attendere *to my own business.*
6. *Oh, I beg your pardon,* credevo che foste solo.
7. *He is probably jealous* che siate vicina a me.
8. Ora che *I am better* posso tornare a scuola.

C. Word study. Here are some other simple aids to reading:

I. Italian verbs in *–are* are often translated by an English verb in *–ate:*

ENGLISH	ITALIAN
gesticulate	gesticulare
navigate	navigare
habituate	abituare
conjugate	coniugare

II. Italian verbs in *–ire* (those which take *–isc–* in the present) are usually translated by an English verb in *–ish:*

perish	perire
brandish	brandire
furnish	fornire

Give the English cognate for each:

demolire, concentrare, operare, languire, fiorire, imitare, nominare, finire, guarnire, degenerare, pulire, ammonire, stabilire, germinare, accomplire, animare, svanire, liberare.

III. Within the word, the English *–ct–* or *–pt–* usually corresponds to *–tt–* in the Italian cognate:

act	atto
picture	pittura
corrupt	corrotto
reptile	rettile

English *–nct–* and *–mpt–* similarly shorten to *–nt–* in Italian:

punctual	puntuale
sumptuous	sontuoso

Give the English cognate for each:

patto, distinto, addattare, santità, rottura, ottobre, pronto, addottare, battesimo, concetto, scrittura, rettore, ottimista, coscritto, cattura, tentazione, accettare, difetto, presuntuoso, attentare, attore, istinto, verdetto, vittima, puntura, dottore, estratto, carattere.

D. I. Translate the following phrases into Italian:

1. *To the glass, with the glass, from the glass, of the glass, in the glass, for the glass, on the glass.*

2. *To my hand, with my hand, from my hand, of my hand, in my hand, for my hand, on my hand.*

3. *To the friend, with the friend, from the friend, of the friend, in the friend, for the friend, on the friend.*

4. *To the water, with the water, from the water, of the water, in the water, for the water, on the water.*

5. *To the state* (stato), *with the state, from the state, of the state, in the state, for the state, on the state.*

II. Change the preceding expressions into the plural.

XV

ACT II, SCENES VII, VIII, IX, X

A. Questionnaire.

1. Che cosa fa il Conte ? 2. Perchè è un povero pazzo ? 3. Che cosa conosce il Marchese all'odore ? 4. Perchè non vuole assaggiarlo ? 5. Il Conte che vuol far fare al Marchese ? 6. Che cosa deve fare Mirandolina per far piacere al Marchese ? 7. Come è il Conte ? 8. Chi è il Marchese ? Che cosa non vuol soffrire ? 9. Perchè ha portato via anche la bottiglia ? 10. Chi lo ha fatto impazzire ? 11. Che tipo di donna è Mirandolina ? 12. Perchè vuol far presto ella ? 13. Che cosa fa ella prima di andarsene ? 14. Che cosa fa dopo il brindisi ? 15. Che cosa ha lasciato al Cavaliere ? 16. Dove deve andare il servitore ? 17. Perchè è cacciato via ? Che vuol fare Mirandolina ? 18. Come lo fa ? Che cosa fa cosi bene ? 19. Dove andrà il Cavaliere ? 20. Che cosa giura ? 21. Perchè è il Marchese un carattere curioso ? 22. Come vorrebbe essere ? 23. Perchè sarebbe un bel carattere per le commedie della compagnia delle donne ? 24. Come potranno seguitare a divertirsi con lui ? 25. Perchè hanno fatto bene le commedianti a scoprirsi al Conte ? 26. Perchè non potrà frequentare la loro casa il Conte ?

B. From this list choose the correct translation of each underlined idiom.

it may be	*to send for*
on purpose	*consider*
compare	*to be surprised at*
	it is enough to say

1. L'hɔ <u>mandato a chiamare</u>.
2. <u>Basta dire</u> che c'erano più di cento persone.
3. Non l'ha voluto fare <u>a pɔsta</u>.
4. <u>Può darsi</u> che non l'abbiamo veduta.
5. Vorrebbe <u>mettere</u> la locandiera <u>con</u> le comiche ?
6. Si è innamorato di quella dɔnna ? <u>Mi meraviglio</u> di lui.
7. <u>Fa conto</u> di non avermi mai veduto.

C. Word study. The meaning of an Italian word can often be inferred if one is familiar with certain characteristic terminations:

I.   ENGLISH *−ness*   =   ITALIAN *−ezza*

richness	ricchezza
firmness	fermezza
freshness	freschezza
slowness	lentezza
weakness	debolezza

II.   ENGLISH *−ty*   =   ITALIAN *−tà*

antiquity	antichità
humanity	umanità
city	città
facility	facilità

III. ENGLISH *−tion (−ction, −ption)* = ITALIAN *−zione*

protection	protezione
description	descrizione

nation	nazione
adoption	adozione

Give the English cognate for each:

prontezza, ostilità, privazione, strettezza, gravità, fazione, austerità, tenerezza, azione, calamità, minutezza, frizione, dolcezza, ospitalità, contrazione, vivezza, frazione, gravezza, istituzione, concretezza, vivacità, convinzione, brevità, tradizione, ispezione.

D. Supply the proper expression for "some" or "any":

1. Il Conte Le manda —— vino. 2. I vini hanno sempre —— odori. 3. Il Conte ci fa —— impertinenze. 4. Vuole farci far —— bestialità. 5. Dice alle commedianti che ha —— impegni. 6. Noi crediamo che Ortensia *abbia* —— abilità sulla scena. 7. Ella domanda se il Conte ha avuto —— amoretti. 8. Il Conte fa vedere che ha —— amore per Mirandolina. 9. Egli ha pure —— amic*i*zia per le commedianti. 10. Dice che Mirandolina ha —— bu*o*no assai, e che ha anche —— sp*i*rito. 11. Il Marche*s*e e il Cavaliere sono —— caratteri da commedia. 12. Il Conte promette di fare —— regali alle commedianti. 13. Ha —— stima per esse, —— amore per Mirandolina, —— disprezzo per il Marche*s*e, e —— denari per sè.

XVI

ACT II, SCENES XI, XII, XIII

A. Questionnaire.

1. Perchè il Cavaliere di Ripafratta è andato verso la cucina? 2. Di che c*o*sa Ortensia aveva pregato il Marche*s*e? 3. Che paura ha ella? 4. Che c*o*sa ha promesso il Marche*s*e

a Deianira ? 5. Perchè dice che lo vorrebbe ? 6. Che cosa
le offre il Conte ? 7. Che cosa dovranno far esse in presenza
del Cavaliere ? Perchè ? 8. Che vogliono sapere del Cavaliere le due dame ? 9. Quando si avanzano le nostre due commedianti ? 10. Perchè non può trattenersi il Cavaliere ?
11. Che cosa non intende recargli Ortensia ? 12. Che dice il
Conte per trattenere il Cavaliere ? 13. Perchè insiste ancora
il Cavaliere ? 14. Che cosa capisce il Conte ? 15. Perchè non
vuol sedersi il Cavaliere ? 16. Di che hanno bisogno le due
commedianti ? 17. Che cosa è accaduto loro ? 18. Che tipo
d'uomo è il Cavaliere ? 19. Che cosa non possono sperare da
lui le donne ? 20. Che ha voluto fare il Conte ? 21. Perchè
il Cavaliere si deve fermare un momento ? 22. Che cosa non
gli vogliono levare ? 23. Perchè il Cavaliere non ha più
paura di loro ? 24. Come si spiega ? 25. Dove non sa fingere Deianira ? 26. Come si chiama ella ? E Ortensia ?
27. Come sa parlare il Cavaliere ? 28. Che cosa dirà egli ?

B. From this list choose the correct translation of
each underlined idiom:

important engagement	*to be afraid of*
play a joke	*what is the name?*
to mean	*just now*
to embarrass	*help yourself!*

1. È partito <u>or ora.</u>
2. Che <u>vuol dire</u> in inglese questa parola ?
3. <u>Ho paura</u> di non poterlo trovare.
4. Questo non è il tempo di <u>fare uno scherzo.</u>
5. <u>Come si chiama</u> il signore che abbiamo incontrato oggi ?
6. Forse non può restare perchè ha un <u>affare di premura.</u>
7. Se vi piace il fazzoletto, <u>siete padrone.</u>
8. L'ho detto perchè non ho voluto <u>dargli soggezione.</u>

C. Copy each of the phrases in column I, and complete it with the phrase from column II which logically continues it:

I

1. Di' al Cavaliere di Ripafratta
2. L'ho veduto andar
3. Io avevo pregato il signor Marchese
4. A me aveva il signor Marchese
5. Se questo vi gradisce,
6. Sarà meglio che sostenghiate
7. Sì; io vi ho dato
8. Che cosa posso far
9. Queste due dame
10. Io non ho tempo
11. Signor Cavaliere, non intendo
12. In due parole
13. Due dame che pregano
14. Avrete degli amici
15. Orsù, capisco che la mia presenza
16. Confidatevi con libertà
17. Favoriscano dirmi
18. Abbiamo bisogno
19. I nostri mariti
20. È tanto indiavolato
21. Io son uno
22. Io non sono
23. Da me non potete sperare

II

a. promesso un fazzoletto.
b. per servirvi?
c. vi sbrighiamo.
d. ci hanno abbandonate.
e. di recarle incomodo.
f. farvi uno scherzo.
g. che cosa vogliono.
h. due impertinenti.
i. che possano darvi ombra.
j. verso la cucina.
k. il presente incomodo.
l. in Firenze?
m. nè consiglio nè aiuto.
n. che favorisca venir da me.
o. il carattere di dame.
p. che amo assai la mia pace.
q. e fuori di scena.
r. che mi mandasse il suo calzolaro.
s. hanno bisogno di voi.
t. del vostro aiuto.
u. siete padrona.
v. in favore dell'arte vostra.
w. al Cavaliere.

24. Il signor Conte ha vo- x. che or ora mi confondo.
    luto
25. Non vi leveremo y. che del cavaliere.
26. Noi non siamo donne z. vi dà soggezione.
27. Sono ben prevenuto aa. di trattenermi.
28. So che fingete in iscena bb. atto a' maneggi.
29. Ha più del contrasto cc. vuole la civiltà che si ascoltino.

30. E vi dirò che siete dd. la vostra riputazione.

D. Supply the proper expression for "some" or "any":

1. Il Marchese doveva mandare —— fazzoletti a Deianira.
2. Il Conte ama fare —— scherzi.
3. Ortensia vuol sapere se il Cavaliere ha —— denaro.
4. Gli scherzi sono —— incomodi per il Cavaliere.
5. Ci vuole —— tempo e —— pazienza per ascoltare le donne.
6. Il Marchese e il Cavaliere dicono che hanno —— affari di premura, ma quegli affari non sono che —— pretesti (*pretexts*).
7. Il Cavaliere ha —— amici e —— parenti in Firenze.
8. Ortensia e Deianira cercano —— aiuto e —— protezione.
9. Il Cavaliere ci vede —— impegni non pochi.
10. Quando gli parlano —— signore, egli si fa rispettuoso, ma appena scopre che non sono che —— commedianti, ha soltanto —— disprezzo per esse.
11. Ha —— prevenzioni in favore dell'arte loro.
12. Applica loro —— nomi insultanti.
13. Anche lui sa —— gergo, e ne fa mostra.
14. Le commedie del Goldoni hanno —— spirito e anche —— verità.
15. Anche lui era attore, e in questa commedia ci fa vedere —— costumi e —— difficoltà di quella vita teatrale.

XVII

Act II, Scenes XIV, XV, XVI, XVII, XVIII, XIX

A. Questionnaire.

1. Che cosa ha trovato bene il Cavaliere ? 2. Quando può, che fa egli con le donne ? 3. Perchè non ha potuto strapazzare Mirandolina ? 4. Di che teme se aspetta a domani ? 5. Che fa il signor Marchese ? 6. Che cosa vuole il Cavaliere dal cameriere della locanda ? 7. Quando devono essere pronti i bauli ? 8. Che cosa sente nel partire il Cavaliere ? 9. Perchè è una donna singolare Mirandolina ? 10. Perchè vuole andar via così presto il Cavaliere ? 11. Di che lo prega Fabrizio ? 12. Che cosa sa il Cavaliere ? 13. Perchè il Cavaliere vuole lì il conto ? 14. Che ha in mano Mirandolina ? 15. Che cosa convien fare ? 16. Che cosa ha fatto Mirandolina ? 17. Con che si asciuga gli occhi nel dare il conto al Cavaliere ? 18. Perchè pare che pianga ? 19. Che cosa non c'è nel conto ? Perchè ? 20. Come avrà patito Mirandolina ? 21. Se fosse per questo che farebbe Mirandolina ? 22. Che cosa le dà il Cavaliere ? 23. Come cade la locandiera ? 24. Perchè sarà svenuta ? 25. Qual'è il colpo di riserva delle donne quando gli uomini sono ostinati ? 26. Che porta il servitore al Cavaliere ? 27. Con che lo minaccia il padrone ? Perchè ? 28. Che resta a Mirandolina per compiere la sua vittoria ?

B. From this list choose the correct translation of each underlined idiom.

so much the worse	*what, that which*
come !	*take courage*
for the time being	*to the ——'s*
speak ill	*from now*

1. È andato <u>dal</u> gioielliere oggi.
2. <u>Tanto peggio</u> per te se non scrivi la lettera.

3. Per ora non leggeremo la lezione.

4. È un uomo che sempre dice male delle donne.

5. Egli non sa quello che ha fatto.

6. Da qui a cinque ore sarà a Firenze.

7. Vincerai; fatevi coraggio.

8. Via, Giovanni, andiamo a casa.

C. Copy each of the phrases in column I, and complete it with the phrase from column II which logically continues it:

I	II
1. Ho trovata ben io	a. e digli che subito porti il mio conto.
2. Se erano dame	b. sopra una sedia.
3. Le donne le strapazzo	c. un vaso d'acqua.
4. Ella mi ha vinto con tanta civiltà	d. mia moglie.
5. Sì; facciamo	e. ancora quando ci volete fare del bene.
6. Che aspetti	f. per causa di Mirandolina.
7. Va' dal cameriere della locanda	g. non lo metto in conto.
8. Fa che da qui a due ore	h. e quando sarà stracco di aspettare, se n'andrà.
9. Portami qui la spada ed il cappello	i. del cameriere.
10. Quanto mi dispiace andar via	j. per rispetto mi conveniva fuggire.
11. Sì, voi ci fate del male	k. costei mi ama.
12. Scrive e sa far di conto	l. è diventato pazzo.
13. La prego di ricordarsi	m. per farla rinvenire.
14. In camera per ora	n. ed il cappello.
15. Mirandolina deve esser	o. o qualche flussione di occhi

16. Convien soffrire

p. col maggior piacere del mondo.

17. Quel ch'io dono

q. innamorato di lei ?

18. Non so se sia il fumo

r. che non può vedere le donne.

19. Senza parlare, cade come svenuta

s. è uno svenimento.

20. Non sono io

t. che mi trovo obbligato quasi ad amarla.

21. Avessi qualche cosa

u. non ci vado.

22. Molte sono le nostre armi

v. siano pronti i bauli.

23. Il colpo di riserva sicurissimo

w. la maniera di farle andare.

24. Torna con

x. per ora.

25. Ah, certamente

y. colle quali si vincono gli uomini.

26. Non partirò più

z. voglio soddisfazione.

27. Ecco la spada

aa. meglio di qualche giovane di negozio.

28. Bravo quel signore

bb. senza che se n'accorga il Marchese.

29. Il Cavaliere

cc. una risoluzione da uomo.

30. Di questo affronto

dd. quest'ultimo assalto.

D. Wherever the sense permits, change subjects, verbs, objects and adjective forms into the corresponding plural, and read aloud:

Example: Ho trovato ben io la maniera di farla andare.

(*Plural*) Abbiamo trovato ben noi le maniere di farle andare.

1. Non ho però potuto strapazzare la bella locandiera.
2. Ella mi ha vinto con tanta civiltà, che mi trovo obbligato

quaſi ad amarla. 3. Ma è dɔnna; non me ne vɔglio fidare.
4. Che cɔsa vuɔi ? 5. Che vuɔle cotesto pazzo ? 6. Va' dal
camerieɾe. 7. Sarà obbedita. 8. Pɔrtami qui la spada e il
cappello. 9. Adesso la locandieɾa lo fa. 10. Scrive e sa far i
conti. 11. La prego di ricordarsi del camerieɾe. 12. Ha un
fɔglio. 13. Mi convien soffrire quest'ultimo assalto. 14. Ha
domandato il Suo conto. 15. Εccolo. 16. Quello è il Suo
conto. 17. È ſvenuta per me. 18. Non sono io innamorato
di lεi ? 19. Ɔh, come tu sεi bella ! 20. Il colpo di riserva è
uno ſvenimento. 21. Torna con un vaſo d'acqua. 22. Non
è ancora rinvenuta. 23. Non partirò più per ora. 24. Lo
minaccia col vaſo. 25. Io l'hɔ fatta rinvenire. 26. Bravo
quel signore che non può vedere le dɔnne ! 27. Il Cavalieɾe è
diventato pazzo. 28. L'impresa è fatta. 29. Il suo cuɔre è
in fuɔco, in fiamma, in cenere. 30. Desidero di rendere pubblico il mio trionfo.

XVIII

Act III, Scenes I, II, III

A. Questionnaire.

1. Quale ora è passata per Mirandolina ? 2. Che farà
adesso ? 3. Che vuɔl fare prima che la biancheria si asciughi ?
4. Che piaceɾ le deve fare Fabɾizio ? 5. Fin quando è egli
obbligato a servirla ? 6. Che cɔsa faɾebbe egli per servirla ?
7. Che cɔsa le piace trɔppo ? 8. Perchè torna indiεtro Fabɾizio ? 9. Che dice Mirandolina del pɔvero sciɔcco ? 10. Che
cɔsa ha portato il servitore ? 11. Perchè deve Mirandolina
prenderne un pɔco ? 12. Quando biſognava darle lo spirito
di melissa ? 13. Perchè non glielo aveva dato allora ?
14. Come ha avuto la boccetta ? 15. E come ha avuto lo

spirito? 16. Perchè ride Mirandolina? 17. Perchè ne
beve un poco? 18. Per chi l'ha comprata il padrone la boccetta? 19. Che deve fare il servitore? 20. Che donna è la
locandiera? 21. Com'è diventato il Cavaliere? 22. Perchè
l'ha fatto Mirandolina? 23. Che deve confessare il Cavaliere? 24. Che cosa manda il Cavaliere a Mirandolina?
25. Che ha rimandato ella al Cavaliere? 26. Come si fa merito con lui Mirandolina?

B. Use the following idioms in short sentences:

1. Badare ai fatti $\begin{cases} \text{miei} \\ \text{tuoi} \\ \text{suoi} \\ \text{nostri} \\ \text{vostri} \\ \text{loro} \end{cases}$.

1. *to attend to my (your, etc.), own business.*

2. del tutto

2. *altogether, entirely*

3. per poco

3. *for a short time*

4. dopo che (*conj.*)

4. *after*

5. a $\begin{cases} \text{mio} \\ \text{tuo} \\ \text{suo} \\ \text{nostro} \\ \text{vostro} \\ \text{loro} \end{cases}$ dispetto

5. *in spite of myself, yourself,* etc.

6. fare a modo $\begin{cases} \text{mio} \\ \text{tuo} \\ \text{suo} \\ \text{nostro} \\ \text{vostro} \\ \text{loro} \end{cases}$

6. *to have my (your, etc.) own way.*

7. una simile

7. *one like her* or *her equal*

8. durare fatica

8. *to find it hard*

9. voler bene a   9. *to be fond of*
10. far bene   10. *to do good*

C. Word study.

I. The prefixes *ab-*, *ad-*, *con-*, *ob-*, and *sub-* frequently merge with a following consonant in Italian. With a little practice you can easily recognize these prefixes, and thus identify the English cognate word:

		ENGLISH	ITALIAN
A.	ab-	*absurd*	assurdo
		absent	assente
		abstract	astratto
B.	ad-	*adversity*	avversità
		adjective	aggettivo
		admire	ammirare
C.	con-	*conscience*	coscienza
		conspire	cospirare
		constant	costante
D.	ob-	*obstinate*	ostinato
		obstruction	ostruzione
		obscure	oscuro
E.	sub-	*substitute*	sostituto
		submit	sommettere
		subtle	sottile

Give the English cognate for each:

assoluto, avventura, cospicuo, oggetto, sommergere, assorbire, ammissione, costituzione, ostacolo, soscrizione, avverbio, assoluzione, costruzione, osservare, soggetto, amministrare, astinenza, Corrado, ottenere, soggiuntivo, aggiustare, adduttore, costernazione, oggettivo, sottrazione, avversario, addominale, Costantinopoli, ottuso, sobborgo, ammonire, astruso, costellazione, osceno, soggiogare.

D. Rewrite the following sentences, using the correct pronoun for each italicised word or phrase:

1. Fabrizio porta *il ferro* a Mirandolina. 2. *Mirandolina* non apprezza *i poveri uomini*. 3. Fabrizio ama *la locandiera*. 4. Egli non vuol bene *agli altri uomini*. 5. *Il Cavaliere e il Conte* sono più ricchi di *Fabrizio*. 6. Egli ha paura *di quegli uomini*. 7. Mirandolina parla sottovoce *al cameriere*. 8. Egli risponde con amore *a Mirandolina*. 9. Ella si ride *degli uomini* perchè vogliono piacere *alle donne*. 10. *L'uomo* che era nemico *delle donne* ha cambiato opinione. 11. Gli uomini sono meno abili di *Mirandolina*. 12. Ella finge di non voler accettare *la boccetta*. 13. Ride perchè *questa boccetta* arriva dopo che ella è guarita *del male*.

XIX

Act III, Scenes IV, V, VI

A. Questionnaire.

1. Quale è stata la cagione dello svenimento della locandiera ? 2. Che cosa non può più dire il Cavaliere, e perchè ? 3. Qual'è la cagione del suo cambiamento ? 4. Che farà il Cavaliere se ella non prende la boccetta ? 5. Dove getta la boccetta Mirandolina ? 6. Che vuole il Cavaliere che ella dia a Fabrizio ? 7. Perchè si lagnano tutti e due ? 8. Che cosa meriterebbe Mirandolina ? 9. Perchè Mirandolina non può lasciar di stirare ? 10. Che cosa le preme più del Cavaliere ? Perchè ? 11. Come si sente il signore ? 12. Che gli dà la locandiera per ristorarlo ? 13. Che cosa giura il Cavaliere ? 14. Che cosa gli ha fatto Mirandolina col ferro ? 15. In che altra parte l'ha scottato ? 16. Di che cosa ha bisogno ora la locandiera ? 17. Che farà il Cavaliere se viene Fabrizio ?

18. Perchè vuol essere compàtito il Cavaliere ? 19. Che confessa egli ? 20. Come va dietro a Mirandolina ? 21. Che cosa prova il Cavaliere ? 22. Che cosa intende il Cavaliere ? 23. Che vuole dalla locandiera ? 24. Che cosa non può essere ?

B. Use the following idioms in short sentences.

1. aver motivo di, *to have cause for, reason to*
2. senz'altro, *unquestionably, I assure you*
3. non poter vedere, *to dislike, to hate*
4. per forza, *necessarily*
5. non posso più, *I can't stand it any longer*
6. fare un complimento, *to pay a compliment*
7. sul serio, *seriously*
8. lasciare gli scherzi, *to stop (put aside) joking*
9. per carità, *for pity's sake*
10. nelle occorrenze, *in case of need*

C. Word study.

· I. Here are some more terminations which will help you to recognize Italian words easily:

A. ENGLISH *-ice* ITALIAN $\begin{cases} -izia \\ -izio \end{cases}$

armistice	armistizio
notice	notizia
justice	giustizia
malice	malizia

B. ENGLISH $\begin{cases} -able \\ -ible \end{cases}$ ITALIAN $\begin{cases} -abile \\ -evole \\ -ibile \end{cases}$

excitable	eccitabile
accessible	accessibile
favorable	favorevole
honorable	onorevole

EXERCISES

Give the English cognate for each:

avar*i*zia, benef*i*zio, abomin*e*vole, ador*a*bile, artif*i*zio, nov*i*zio, lament*e*vole, mi*s*er*a*bile, precip*i*zio, formid*a*bile, lod*e*vole, sacrif*i*zio, pag*a*bile, consider*e*vole, pregiud*i*zio, profitt*e*vole, cred*i*bile, off*i*zio, ragion*e*vole, mov*i*bile, e*s*erc*i*zio, cred*e*vole, rimarch*e*vole, serv*i*zio, not*e*vole, incontrovert*i*bile, v*i*zio, dur*e*vole, edif*i*zio, insepar*a*bile, irresist*i*bile.

II. Some Italian words have no cognates in English. In such cases, learn the simple form of the word, and be alert to recognize it in its various compounds with prefixes or terminations or both. We do this constantly in English: the noun *trust*, for example, gives us *entrust, distrust, untrustworthy,* and several other forms.

Somewhat like the *en-* of *entrust, enrage, embitter,* etc., the prefix *ad-* often combines with a simple Italian word to form a verb which "puts into action" the meaning of the simple word:

ad- + simple form		verb	
ad + br*a*ccio	(arm)	abbracciare	(to embrace)
ad + *o*cchio	(eye)	adocchiare	(to watch)
ad + d*e*nti	(teeth)	addentare	(to bite)
ad + f*a*ccia	(face)	affacciarsi	(to show one's face, *i.e.,* to appear)
ad + fronte	(forehead)	affrontare	(to face, confront, attack)
ad + naso	(nose)	annasare, annusare	(to smell)
ad + ma*e*stro	(teacher)	ammaestrare	(to teach)
ad + lungo	(long)	allungare	(to make long, lengthen)
ad + rosso	(red)	arrossire	(to blush)
ad + mob*i*lia	(furniture)	ammobiliare	(to furnish)
ad + franco	(free)	affrancare	(to make free, enfranchise)
ad + giusto	(just)	aggiustare	(to make just, adjust)
ad + m*o*glie	(wife)	ammogliarsi	(to marry)
ad + nulla	(nothing)	annullare	(to annul)
ad + fido	(faithful)	affidare	(to entrust)

As you can see, relatively few words must be learned like telephone numbers, by sheer force of memory. Whenever you meet a long, strange-looking word, do not look it up at once in the Vocabulary, but try to strip off the prefix and termination. The "stranger" often turns out to be an old friend in disguise, and "learning vocabulary" becomes a fascinating form of detective work. Make a list of such discoveries.

D. Complete the Italian sentence by inserting the proper adjective or pronoun forms:

1. *Here I am, but I did not want to come here.*
   Ecco ————, ma non ———— volevo venire.
2. *I have reason to complain of you.*
   Ho motivo di doler ———— di ————.
3. *Why did you reject that little flask which I sent you?*
   Perchè avete ricusato ———— boccettina che ————
   ho mandata?
4. *She is not subject to those faints.*
   Ella non è soggetta a ———— svenimenti.
5. *That which happened to her to-day has never happened to us.*
   ———— che ———— è accaduto oggi non ———— è mai
   accaduto.
6. *What happened to the Knight?*
   ———— è ———— al Cavaliere?
7. *What wine did he drink?*
   ———— vino ha bevuto?
8. *That wine must have affected them both.*
   ———— vino dovette far male a tutti e due.
9. *Which of them has suffered the more?*
   ———— di ———— ha sofferto il più?
10. *While she talks to her servant, the Knight talks to himself.*
    Mentre ella parla con ———— servo, il Cavaliere parla
    da ————.
11. *Is that linen more important to you than I?*
    ———— biancheria ———— preme più di ————?
12. *Surely, because I shall use that, but I can make no use at all of you.*

Sicuro, perchè mi servirò di —————, ma di ————— non
posso far capitale di niente.

13. *You have avenged yourself sufficiently.*
Voi ————— siete ————— abbastanza.

14. *Don't make fun of me any more.*
Non ————— burlate più di —————.

15. *He is becoming ill; he feels faint.*
————— viene male; ————— sente mancare.

16. *If that man comes, I'll smash his head.*
Se viene —————, ————— spacco ————— testa.

17. *I confess it; I am jealous of him.*
————— confesso; ho gelosia di —————.

18. *The Knight is beside himself.*
Il Cavaliere è fuor di —————.

19. *Those men follow her, and Fabrizio is jealous of them.*
————— uomini ————— vengono dietro, e Fabrizio ha
gelosia di —————.

20. *That was the first time that he experienced what love was.*
————— era la prima volta ————— provava —————
fosse amore.

21. *When she asks him what he wants of her, he does not know
what answer to give her.*
Quando ella ————— domanda ————— vuole da
—————, egli non sa ————— risposta dar —————.

22. *He wants to give his heart to the one to whom he gave that
flask.*
Egli vuole dare ————— cuore a ————— a —————
aveva dato ————— boccettina.

23. *She rejects them both, but presently she sends for the latter.*
Ella ————— ricusa —————, ma più tardi manda
a cercare —————.

XX

Act III, Scenes VII, VIII, IX, X, XI

A. Questionnaire.

1. Che cosa è successo al Marchese ? 2. L'ha fatto apposta o involontariamente il Cavaliere ? 3. Che cosa vuole il Marchese ? 4. Di che è capace il Cavaliere ? 5. Perchè il Marchese compatisce il Cavaliere ? 6. Che ha fatto il nemico delle donne ? 7. Perchè non vorrebbe il Cavaliere che si sappia che egli è innamorato ? 8. Che cosa sogliono avere le donne ? 9. Di quale materia sarà la boccetta ? 10. Per che cosa è buona l'acqua della regina ? 11. Che cosa c'è nella boccetta ? 12. Che cosa s'impegna di far con uno scudo Deianira ? 13. Che cosa è meglio di questo ? 14. Che cosa non conosce ella ? 15. Perchè il Cavaliere offre la boccetta a Deianira ? 16. E come la stima ella ? 17. Come è quello che viene dalle mani del Marchese ? 18. Di che si vergogna egli ? 19. Chi non conosce il vero oro ? 20. Perchè Deianira non deve far vedere quell'oggetto a Mirandolina ? 21. A chi lo mostrerà invece ? 22. Che cosa crede il Marchese ? 23. Come aggiusterà la cosa ? 24. Quando gliela pagherà a Mirandolina ? 25. Che cosa cerca il servitore del Cavaliere ? 26. Perchè la locandiera ha lasciato lì la boccettina ? 27. Che cosa pare ancora impossibile al Marchese ? 28. La padrona che doveva fare della boccettina ?

B. Use the following idioms in short sentences:

1. tornare a dire, *to say again, repeat*
2. come fare, *what to do*
3. in confidenza, *confidentially*
4. manco male *or* meno male, *luckily*
5. per l'appunto, *just at this moment*
6. in buona luna, *in a good mood*

7. or ora, *very soon*
8. tanto meglio, *so much the better*
9. far vedere (a), *to show*
10. andare (*or* montare) in collera, *to get angry*

C. Word study.

I. Give the English cognate for each:
insultáto, accidente, maravíglio, finalmente, vaso, impertinenza, soddisfazione, soggezione, collera, isdegno, scusa, malízia, capace, luna, fatti, diavolo, pentire, dichiarare, dispiace, osserva, spírito, provare, favorisce, perdoni, segreto, volentieri, spesa, grazie, confidenza, stimo, pazienza, valere, filippo, generoso, regalare, verità, pare, pratica, compagna, aggiustare, pagare, certo.

In which of the above cases is the English cognate an unsatisfactory translation of the Italian word?

II. Give a related Italian form for each of the following:
malnato, appunto, ricerco, inimico, innamorato, lasciatemi, dispiace, tavolino, ringrazio, confidenza, s'ingannerebbe, solamente, aggiusterò, galantuomo, ritrovo, scordata, ancora.

D. Sentence building. (Adjectival and pronominal forms.)

1. *Confound the moment when I began to look at that woman!*
   Maledetto il momento in —— ho principiato a mirar ——!

2. *The Marquis is astonished by him.*
   Il Marchese —— maraviglia di ——.

3. *A drop of water spotted his suit.*
   Una gocciola d'acqua —— ha macchiato il vestito.

4. *"Forgive me," the Knight repeats to him.*
   «Compatite ——, » —— ripete il Cavaliere.

5. *Since this was an insult, he must make amends to them.*
   Poichè —— fu un' impertinenza, ora egli deve dare —— soddisfazione.

6. *That spot is what makes him angry.*

—— macchia è —— che —— fa andare in collera.

7. *Those men think that we pry into their affairs.*

—— uɔmini pensano che noi ricerchiamo i fatti ——.

8. *I am ashamed to have done this, and I don't want it to be known.*

—— vergogno d'aver fatto ——, e non vɔglio che —— sappia.

9. *We don't like this spot; if we only knew how to remove it!*

—— dispiace di —— macchia; se solo sapessimo come fare a levar ——!

10. *Those women have some powder for these things.*

—— dɔnne hanno —— terra per —— cɔse.

11. *What might there be in this pretty flask?*

—— cɔsa potrebbe esservi in —— boccetta?

12. *If it were essence of rosemary, it would be good for what I want.*

Se fosse acqua della regina, sarebbe —— per —— vɔglio.

13. *Ladies, I was about to come and pay you my respects.*

Signore, venivo or ora per riverir ——.

14. *The great expenditures of the Marquis are nothing for rich men like our good friend the Count.*

Le grandi spese del Marchese non sono niente per uɔmini —— come —— amico il Conte.

15. *This flask is mine, but it is yours if you wish.*

—— boccetta è ——, ma è —— se comanda.

16. *They are very much obliged by your favors.*

Esse sono —— alle —— grazie.

17. *I thank you, your Lordship; all that comes from your hands is valuable.*

—— ringrazio, signor Marchese; tutto —— viene dalle —— mani è ——.

18. *He who is not familiar with those gentlemen would think them generous.*

—— non pratica —— cavalieri —— troverebbe ——.

19. *When the actors speak to themselves, they are not heard by the others, but the spectators hear them.*

Quando —— attori parlano da ——, non sono sentiti —— altri, ma —— spettatori —— sentono.

20. *This is an old custom of the theatre, and recently it has been revived in our country.*

—— è una —— usanza —— teatro, e da poco è stata rinnovata nel —— paese.

21. *It is difficult to know what the character is thinking, if he does not express himself.*

È —— sapere —— il personaggio pensa se egli non —— esprime.

22. *With that fine grace of hers, the actress got the gold flask.*

Con —— garbo ——, la commediante ha avuto la boccetta ——.

23. *It is said that one cannot lose what one never had, but our Marquis did it.*

—— dice che non si può perdere —— non si è mai avuto, ma —— Marchese —— ha fatto.

24. *He will pay for it when he has some money, but he has none now.*

—— pagherà quando avrà —— denaro, ma adesso non —— ha.

25. *That clever (scaltro) Mirandolina had told the poor Knight that she did not want it, but she was making fun of him.*

—— Mirandolina aveva detto al —— Cavaliere —— non —— voleva, ma ella —— burlava di ——.

26. *I myself saw him pay twenty crowns for it.*

—— ho veduto —— pagar —— venti zecchini.

27. *Poor Mirandolina! She too has lost the flask.*

—— Mirandolina! Anche —— ha perduta la boccetta.

28. *Our good friend the Knight was the first to lose it; now all three have lost it.*

—— nostro —— amico il Cavaliere fu il —— a perder ——; adesso —— e tre —— hanno ——.

29. *In this little comedy of errors, only a bad actress has profited.*
In —— commedia di errori, solo una —— commediante
ci ha guadagnato.

30. *Mirandolina and the handsome Knight were too intelligent
to be deceived by her, but the Marquis is less intelligent than
they.*
Mirandolina e il —— Cavaliere erano troppo —— per
essere ingannati da ——, ma il Marchese è meno in-
telligente di ——.

XXI

Act III, Scenes XII, XIII, XIV

A. Questionnaire.

1. Che cosa ha dato il Marchese per princisbech? 2. Qual'è
la novità della locanda? 3. Perchè l'ha caro il Marchese?
4. Chi coltiva Mirandolina? Che cosa usa verso di lui?
5. Che vivande ha mangiato il Marchese? 6. Cosa ha fatto
il Cavaliere per Mirandolina in confronto al Conte e al Marchese? 7. Che cosa ha detto il servitore del Cavaliere a quello
del Conte? 8. Da dove vuol partire il Conte, e perchè?
9. Perchè dovrebbe partire anche il Marchese? Dove andranno? 10. Perchè il Marchese non può dire di no? 11. Che
cosa dice in confidenza al Conte? 12. Per dovere dodici zecchini quanto doveva essere arretrato il Marchese nel pagamento? 13. Come vuol rovinare la locanda il Conte? 14. Che
va a fare subito il Marchese? 15. Che cosa non vorrebbe
Mirandolina? 16. Di che principia a pentirsi? 17. Come
s'è divertita? 18. Che cosa vede ora Mirandolina? 19. Chi
potrebbe giovarle? 20. Chi batte alla porta? 21. Perchè
non vuol aprire Mirandolina? 22. Come sa ella che egli

andato via ? 23. Chi chiama ella in questo momento ?
24. Che cosa sarebbe bella ora ? 25. Che cosa vuol fare ella
a Fabrizio ? 26. Qual'è questa confidenza ? 27. Perchè Mirandolina non se n'è mai avveduta ?

B. Find in the text the equivalents of the following phrases, and use them in short Italian
sentences:

1. in spite of himself 2. to compare with 3. to say no
4. to be furious, in a rage 5. in such a case 6. it would be a
fine state of affairs 7. to confide, tell a secret 8. to be such
a good friend of mine 9. to do an injustice 10. to commit a
misdeed 11. where I can be of service 12. sometimes 13. as
soon as possible

C. Word study.

I. Give the English cognate for each:

donata, zecchini, caso, importanza, ricupero, ridicolo, scoprire,
pericolo, decoro, novità, merito, gastigo, corrisponde, coltiva,
attenzioni, praticato, adora, tavola, atto, simile, distinta, gelosia, segno, manifesto, saporiti, lungo, grado, condizione,
prezioso, minima, dubitate, ingrata, assolutamente, partire,
riputazione, alloggio, esempio, paesano, vendichiamo, femmina, azione, pentite, piacere, ritarda, borsa, aspettate, rendere, doppie, rovinare, comiche, compagni, favola,
terminata, teatro, maniera, conto, tentare, divertita, furie,
vita, risolvere, sola, difenda, prometterò, matrimonio, pregiudicare, libertà, rimediamo, camera, cascare, semplice.

In which of the above cases is the English cognate an unsatisfactory translation of the Italian word ?

II. Give a related Italian form for each:

regolarmi, cavaliere, selvatico, disprezzatore, malgrado, corrisponde, burlandosi, adorare, confronto, svenimento, carnaccia, assolutamente, indegna, alloggio, paesano, ispenderemo,

vendichiamoci, sconoscente, nessuno, fattore, rimesse, aspettare, ricordare, commedianti, maledettamente, indiavolato, prometterò, davvero, pregiudicare, s'accosta, rimediamoci, scoperto, avveduta, arrossire.

D. Put into Italian:

1. How must he act in this important matter ? 2. Have you heard the news ? The Knight is in love with the innkeeper. 3. Does he wish to compare the Knight to the Marquis ? 4. Mirandolina has bestowed attentions upon him which she has not shown either to you or to me. 5. He has already spent so much for her. 6. I myself have seen her seated at the Knight's table. 7. He has even given the innkeeper a small flask which is worth twelve sequins. 8. They want to leave that unworthy inn at once. 9. The Count is such a good friend of his. 10. He cannot leave the inn without paying her. 11. They will go to the home of one of his fellow-townsmen. 12. The Count can spend a great deal because he does not lack money. 13. He has also sent away the two actresses. 14. The man who has betrayed me will give me satisfaction for it. 15. She had not noticed that the Knight had fallen in love with her. 16. She is beginning to repent for what she has done. 17. That person knocking at the door — who can it be ? 18. He made grimaces while she was ironing. 19. The Knight was very jealous of the servant. 20. She always took everything indifferently.

XXII

Act III, Scenes XV, XVI, XVII

A. Questionnaire.

1. Chi picchia ancora alla porta ? 2. Che grida da di dentro il Cavaliere ? 3. Perchè deve aspettare Fabrizio ? 4. Per-

chè Mirandolina non dɛve dubitare ? 5. Che non si fa in una
locanda onorata ? 6. Che vuɔl fare il Marcheſe ? 7. E il
Conte che volontà ha invece ? 8. Perchè Fabrízio non dɛve
dubitare ? 9. Qual'ɛ l'intenzione del Marcheſe in questo
momento ? 10. Il Cavaliɛre chi cerca ? 11. Che gli risponde
Fabrízio ? 12. Il Cavaliɛre come chiama Mirandolina ?
13. Mentre il Cavaliɛre la cerca, chi scɔpre ? 14. Che cɔsa
non vorrɛbbe lasciar notare ? 15. Per che cɔsa paga i suɔi denari ? 16. In che cɔsa può ɛsser servito ? 17. Perchè non
dɛve rispɔndere Fabrízio ? 18. Che ha ordinato il Cavaliɛre
a Mirandolina ? 19. Che farà il Cavaliɛre se Fabrízio non se
ne va ? 20. Perchè non dɛve rídersi delle debolezze altrui il
Cavaliɛre ? 21. Con qual pretɛsto aveva egli rapito il cuɔre
di Mirandolina ? 22. Perchè il Cavaliɛre vuɔle la spada del
Marcheſe ? 23. Perchè non può servírsene ?

B. Find in the text the equivalents of the following
   phrases, and use them in short Italian sentences:

1. to be afraid   2. I'll " beat it "   3. to be angry with
4. both   5. I am sorry   6. the least thing   7. to give satisfaction   8. any further   9. to get worse and worse

C. Verb forms and tense usage. Read each of the
   following sentences twice, first in the present
   tense, then in the past. When doing the latter,
   choose carefully between present perfect and
   past descriptive, and note those cases where
   either could be justified:

1. Il Cavaliɛre (picchiare) alla pɔrta mentre la locandiɛra
(ascoltare). 2. Egli (volere) entrare, ma la pɔrta (ɛssere)
serrata. 3. Ella gli (domandare) che cɔsa (desiderare).
4. Ella (avere) paura dell'uɔmo che la (cercare). 5. Fabrízio
la (assicurare) che egli (potere) difɛnderla. 6. Egli (gridare)

al Cavaliere che la sua condotta non (essere) convenevole.
7. Il Marchese ed il Conte (entrare) nella stanza perchè Fabrizio (chiamare). 8. Da prima essi non (capire) che cosa (accadere). 9. Poi Fabrizio (aprire) al Cavaliere quando il Conte gli (comandare) di farlo. 10. Fabrizio (dire) che non (sapere) dove (stare) Mirandolina. 11. Il Marchese (rassicurarsi) quando (capire) che il Cavaliere l'(avere) con Mirandolina. 12. Il Cavaliere (avanzarsi) e (gridare) finchè (scoprire) gli altri cavalieri. 13. Il Marchese gli (ripetere) allora che essi (essere) amici. 14. I cavalieri (pagare) per esser serviti, e i servitori non (dovere) interrogarli. 15. Il Cavaliere (gridare) che Fabrizio non (sapere) quel che (dire). 16. Essi non (volere) fare uno spropositto; per ciò lo (cacciare) via. 17. I rivali del Cavaliere (sapere) da che (provenire) le sue smanie. 18. Il Cavaliere (vergognarsi), e (accusare) il Marchese d'aver mentito. 19. Questi cavalieri non (mentire) mai. 20. Il Marchese (impicciarsi) senza volerlo, perchè il Cavaliere lo (trattenere). 21. I rivali non (acquietarsi), anzi (ingiuriarsi) l'un l'altro. 22. Il Marchese (rammaricarsi) perchè il Cavaliere gli (perdere) il rispetto. 23. Il Marchese (fare) tanti duelli che in quel momento non li (ricordare) tutti. 24. Quando il Cavaliere (avventarsi) verso il Conte, questi (porsi) in difesa.

D. Put into Italian:

1. In an honorable inn one does not make this uproar.
2. If they will not allow him to enter, the Knight will break down the door. 3. If he sees the least thing he will "beat it." 4. I should not do it for all the money in the world. 5. That wicked woman must settle with the Knight. 6. If she does not open the door she will have to deal with me. 7. It is none of your business. I shall do what I want. 8. The time has come for him to avenge himself. 9. When one has a delicate heart, one must not laugh at another's weaknesses. 10. He has tried to steal the heart of Mirandolina. 11. The Knight is not ashamed of having misbehaved. 12. He does not want

to listen to him any longer. 13. On what grounds can it be said that the Knight is in love? 14. She does not know what she is talking about. 15. I don't want to be involved in the matter. 16. The sword that the Marquis has in the sheath is broken. 17. He did not remember that he had broken it in his last duel. 18. I shall give you satisfaction whenever you desire it. 19. He rushes towards the Count who places himself on the defensive. 20. Spanish blades are the best in the world.

XXIII

Act III, Scenes XVIII, XIX, XX

A. Questionnaire.

1. Negando di essere innamorato che fa conoscere a Mirandolina il Cavaliere? 2. Chi non può sperare ella d'innamorare? 3. Come son le lagrime e gli svenimenti delle donne? 4. Che meriterebbe Mirandolina per la sua finzione? 5. Perchè non deve riscaldarsi il Cavaliere? 6. Dove si vede che è innamorato? 7. Perchè bisogna disingannare il Conte e il Marchese? 8. Che cosa non potrebbe soffrire il Cavaliere se egli amasse Mirandolina? 9. Di chi vuol essere la locandiera? 10. Come si sente il Cavaliere in quel punto? 11. È contento il Conte? Che promette egli? 12. Che cosa è oggi meglio di domani? 13. Che dice di sè Mirandolina? 14. Perchè è ella maledetta dal Cavaliere? 15. Che cosa meriterebbe ella? 16. Che cosa sarebbe ciò per lui? 17. Che gli ha fatto conoscere ed imparare Mirandolina? 18. Perchè può dire ora Mirandolina di essere fortunata? 19. Perchè ha fatto lo scherzo Mirandolina? 20. Che è venuto a fare il servitore del Conte? 21. Che fa fare il padrone e dove va poi? 22. Che cosa ha

fatto sinora Mirandolina ? 23. Che cosa fa ora che si marita ?
24. Che abilità ha Mirandolina ? 25. Che domanda ella per
ultimo ? 26. Di che cosa vuole il Conte assicurarla ? 27. Che
cosa le rende il Marchese ? 28. Di che deve far capitale la
locandiera ? 29. In quali condizioni potrebbero mai trovarsi
quelli che hanno veduto la commedia ? 30. A che devono
pensare e di chi devono ricordarsi ?

B. Find in the text the equivalents of the following
   phrases, and use them in short Italian sentences:

1. on your account 2. in agreement 3. in my presence
4. to disdain 5. I do not have the heart 6. to what extent
7. at my expense 8. unfortunately 9. before (*adv.*)
10. such a

C. Supply the proper pronoun and adjective forms,
   including articles when necessary in the following sentences:

1. Il Cavaliere è innamorato di (*her*). 2. No, signor Conte,
(*you*) inganna (*yourself*). 3. Signori, io posso assicurar (*you*)
che egli non è innamorato di (*me*). 4. (*What*) uomini possono
resister (*us*) ? 5. (*Those who*) non possono vedere le donne non
hanno paura di (*us*). 6. (*Some*) donne sono (*frank*) e (*sincere*).
7. (*That*) spada che avete in mano, signore, è (*mine*). 8. Le
belle donne ammirate da (*their*) amici, sono come (*this*) locandiera. 9. Solo il Cavaliere non l'ammira; l'ha sempre con
(*her*). 10. (*Those*) cavalieri non hanno gelosia di (*you*), signori.
11. Io non credo alle parole di (*these*) donne. 12. Non mi fido
di (*their*) lagrime. 13. Signor Cavaliere, qui ci va di (*your*)
riputazione. 14. (*He who*) non sente la gelosia, non ama.
15. (*Whose*) sono (*these*) orecchini ? 16. Il Cavaliere parla da
(*himself*), e dice (*that*) non ha cuore di soffrire (*this*). 17. Egli
è meno contento di (*the others*). 18. (*What*) risponde Fabrizio

a (*his*) sposa ? 19. Mirandolina, io prometto (*you*) trecento
scudi. 20. Fabrizio (*me*) vuol bene. 21. Meriteresti ch'io
pagassi gl'inganni (*your*) con un pugnale in (*your*) seno.
22. Ma (*this*) sarebbe indegno di (*me*). 23. Fuggo da (*your*)
occhi; maledico (*your*) lusinghe. 24. Da cavaliere, sfido (*you*),
signore. 25. (*He who*) è partito or ora è l'uomo(*whom*) io avevo
sfidato. 26. Fabrizio, dammi (*your*) mano. 27. Credete voi
ch'io voglia sposare (*you*) ? 28. So io (*what*) farò. 29. Di
(*those*) spassi non me ne cavo mai più. 30. Il signor Conte
resterà sempre lo stesso per (*her*). 31. Vorrei che facessimo
prima (*our*) patti. 32. Da (*me*) (*that*) mano, o vattene a
(*your*) paese. 33. Sarò tutta (*yours*); non dubitare di (*me*).
34. Signori, prego (*you*) di provveder (*yourselves*) d'un' altra
locanda. 35. Noi possiamo assicurar (*ourselves*) di (*his*) stima.
36. Ditemi: avete perduta (*this*) boccetta ? 37. Ho trovata
(*it*) (*myself*). 38. Adesso la rende alla persona da (*whom*) l'a-
veva avuta. 39. La locandiera parla agli spettatori per dare
(*to them*) una lezione. 40. (*They*) e il (*poor*) Cavaliere hanno
imparato che non c'è furia come una donna sprezzata.
41. (*That*) bel pazzo, il Marchese, non ha imparato (*nothing*).

D. Put into Italian:

1. He assured him that he was mistaken. 2. A man who
does not like women cannot fall in love with them. 3. A sincere man can never hide the truth. 4. He knows the cunning
of women very well. 5. If the Knight gets excited they will
say that he has gone crazy. 6. Whoever does not feel jealousy
cannot be in love. 7. In the presence of all Mirandolina offers
to marry the one to whom her father has destined her. 8. A
bird in the hand is worth two in the bush. 9. If Mirandolina
marries, the Count promises to give her three hundred sequins,
while the Marquis will give her twelve. 10. When a poor
woman is without charm she has need of a dowry. 11. She
has a pernicious power over our sex. 12. Mirandolina can
call herself lucky if the Knight does not return. 13. The

servant came to tell her that he and his master will go to Leghorn. 14. I have time to remain here only until tomorrow morning. 15. Now that she will marry, Mirandolina no longer needs gifts. 16. Up to this time she had not given her hand to Fabrizio. 17. Fabrizio must either marry her or return to his native town. 18. As a favor the innkeeper asks them to provide themselves with another lodging-place. 19. The Marquis finds the golden flask and returns it to its owner. 20. Do all men profit by what they have seen ?

VOCABULARY

FOREWORD

TABLE OF ABBREVIATIONS

adj.	adjective	*fut.*	future	*part.*	participle
adv.	adverb	*impve.*	imperative	*pl.*	plural
art.	article	*ind.*	indicative	*prep.*	preposition
cond.	conditional	*interj.*	interjection	*pres.*	present
conj.	conjunction	*m.*	masculine	*pron.*	pronoun
def.	definite	*n.*	noun	*refl.*	reflexive
f.	feminine	*p.*	past	*subj.*	subjunctive

TYPOGRAPHY

Vowel quality:

Ɛ denotes the sound of e in the English word *set;* ɔ denotes the sound of o in the English word *soft.* Also, these symbols always denote stress.

Stress:

1. A word without any distinguishing symbol is stressed on the next-to-the-last *vowel.*
Ex.: metta, tenere, pazzia.

2. A vowel bearing a grave accent is stressed.
Ex.: fedeltà, così, più.

3. An italicized vowel is stressed.
Ex.: m*e*ttere, ch*i*cchera, v*a*glielo.

4. The symbols ɛ and ɔ denote stress, as well as quality.
Ex.: uɔmini, ɛssere, mɛglio, vuɔle.

Voiced S and Z:

Voiced S and Z are indicated by italic letters.
Ex.: Marche*s*e, m*ezz*o, e*s*ibire.

Petrocchi's *Nòvo Dizionàrio Universale della Lingua Italiana* (Trèves, Milano, 1931), has been taken as authority in giving phonetic indications.

Archaic forms or words no longer following current Tuscan usage are followed by current equivalents placed in brackets.

VOCABULARY

A

a, ad to, at, in, within

a' = ai = a + i [ai]

abbandonare to abandon, leave, desert

abbastanza enough, sufficiently

abbattere to overthrow, kill, demolish

abbia, abbiate *pres. subj. of* avere

abborrisco *pres. ind. of* ab-(b)orrire to abhor

abbruciato burned

abilità ability, cleverness

accadere to happen, occur

accεndere to become inflamed, aroused

accettare to accept

accidεnte *m.* accident

acciɔ so that

accomodare to settle; *refl.* to sit down, make oneself comfortable, at home

accɔmodi *pres. subj. of* accomodare

accɔrga *pres. subj. of* accorgere

accɔrgersi to notice, become aware, see

accortezza shrewdness

accɔrto *p. part. of* accɔrgersi

accostarsi to draw near

acqua water

acquietatevi calm yourselves

acquistare to acquire, obtain; — mεrito to get into a person's good graces, distinguish oneself; *refl.* to acquire

addio farewell, good-bye

addomesticarsi to grow tame, become sociable

adεsso now

adorabile adorable, charming

adorare to adore, worship

adorato adored, worshipped

adulare to flatter, fawn upon

affare *m.* affair, business, matter

affatto entirely, altogether; niεnte — nothing at all, not at all

affεtto affection, love

affronto affront, insult, outrage

agire to act

agisce *pres. ind. of* agire

agli = a + gli

ah ah; — ! ah ! Ha !

ahimὲ alas ! ouch !

aiuto help

al = a + il

alcun(o) any, some; *pl.* a few

all' = a + l'

alla = a + la

alle = a + le

allegro gay, jolly, good-humored

allo = a + lo

alloggiare to lodge, take lodgings

alloggio lodging

allora then

almeno at least

alterare to disturb, make angry, upset [turbare]

alterezza pride; **con** — haughtily, disdainfully

alto high

altrettanto as much

altri other, anyone else

altro other, else, anything, something else; **noi** — we; **voi** — you; **non pensate** — don't worry; **per** — otherwise, besides; **senz'** — unquestionably, I assure you; **un** — **poco** a little more

alzare to raise, get up; *refl.* to get up

amabile amiable, pleasant, charming

amabilissimo most charming

amare to love, like, be fond of

amasse, amassi *p. subj. of* amare

ambrosia ambrosia (*fabled food of the gods*)

ami *pres. subj. of* amare

amicizia friendship

amico friend; **l'**— our good friend; **tanto mio** — such a good friend of mine

ammacchiare to soil

amor(e) *m.* love, attachment; **far all'** — to pay court, court; **il far all'** — having a love affair; **per** — **mio** for my sake

amoroso lovingly, tenderly

anche also, even; — **voi** yourself; **nè** — not even

ancor(a) yet, still, also; even; — **più** still more; — **più di** even more than; — **un poco** a little more

andar(e) to go, be; — **dietro** to follow; — **in collera** to get angry; — **via** to go away; **andate** go, never mind

andarsene to go away

andassi *p. subj. of* andare

and(e)**rà** *fut. of* andare

andranno *fut. of* andare

andrebbe *cond. of* andare

anima soul

animo ! cheer up !; *n.* courage; **se vi dà l'**— if you have the courage *or* ability

anno year

annoiare to bore, annoy

anzi rather, on the contrary

aperto *p. part. of* aprire

apparecchiato prepared, set (*of a dining table*)

appartamento lodging

appena hardly, scarcely

appetito appetite; **fare passare l'—** to disgust, make one lose one's appetite

apposta purposely

apprezzare to appreciate, value

aprir(e) to open, let in

aprirgli to open for him

apritemi open for me

appunto precisely, exactly, it happens that

armi *f. pl.* weapons, arms

arretrato: essere — to be in arrears

arrischiato *p. part. of* **arrischiare** to risk, venture

arrivare to arrive, come, get, come to, amount, succeed

arrivato arrived, arrival

arrivi, arrivino *p. subj. of* **arrivare**

arsura stinginess [miseria]

arte *f.* art, guile

asciugare to dry, wipe

ascoltare to listen (to)

ascoltino *pres. subj. of* **ascoltare**

asino ass, donkey, fool

aspettare to wait, wait for, expect; **— a** to wait until; **— che** to wait until

aspetti *pres. subj. of* **aspettare**

asprezza harshness, gruffness; **con —** harshly, gruffly

assaggiare to taste

assai much, very, very much; **è — che** it's lucky that; **perdono —** deteriorate, are greatly damaged

assaissimo very much

assalto assault, attack

assassinare to ruin, torment to death, assassinate

assicurare to assure; *refl.* to be *or* feel assured

assicurarla = assicurar + la

assolutamente absolutely

attaccare to attach, harness; **fare —** to have a carriage made ready; *refl.* to attach oneself, become attached, take a liking

attendere to attend, look after

attenzione *f.* attention, care, regard; **con —** carefully; **con tutta —** with utmost consideration; **usare attenzioni** to show courtesy

atto act, sign; **per — di grazia** as a favor

autorità authority; **con —** freely

avanti before, forward; **—!** come in !; **— che** before

avanzarsi to come forward, draw near, advance; **— troppo** to go too far

avanzi *pres. subj. of* **avanzare**

averà *fut. of* **avere** [avrà]

aver(e) to have, get, take, obtain, acquire; **— a** must, should, ought; **— che fare** to be busy *or* occupied; **— che fare con** to have to deal with; **— da** must, should, ought; **— in odio** to hate; **— per la mano = tenere**

per la mano; — ragione
to be right; che avete?
what is the matter with
you?

avessi *p. subj. of* avere

aveste *p. subj. of* avere

avrà *fut. of* avere

avranno *fut. of* avere

avrɛbbe *cond. of* avere

avrɛi *cond. of* avere

avrɔ *fut. of* avere

avvedersi to notice, remark

avventore *m.* lodger, patron,
customer

avversion(e) *f.* aversion, dislike

avvezzo *adj.* accustomed

avvilir(e) to humiliate, de-
grade; *n.* humiliation

avvisare to advise, inform,
warn

azione *f.* action; fare una
mal' — to commit a mis-
deed

B

bacco Bacchus; cɔrpo *or* cospɛtto di — shades of
Bacchus, by Jove; per —
by Jove

baci *pres. subj. of* baciare

baciare to kiss

badare to attend; badate a
voi mind your own busi-
ness; badate alle cɔse
vɔstre attend to your own
business; badi che nɔn

take care lest, be carefu[l]
lest

bagattɛlla trifle

barbaro barbarous, cruel

barca boat

barone *m.* baron

baronessa baroness

baronia barony, title of baron

barzelletta joke, jest

bastare to be enough, suffice
basta così enough now,
that's enough; bastavam'
= mi bastava; mi basta
meno I am content with
less; ɔh basta nonsense;
tanto basta that's enough

battere to beat, strike, knock

baule *m.* trunk

bɛ' = bɛi *pl. of* bɛllo

bɛgli *pl. of* bɛllo

bɛl *contraction of* bɛllo

bellezza beauty

bellissimo very beautiful, fine

bɛllo beautiful, charming,
fine

bɛn(e) well, very well, good,
indeed, quite; va — very
well, all right; prɛgo — I
earnestly beg; voler — a
to be fond of

benedetto blessed, what a
pleasure it is to; che tu sia
— bless you

benedica *pres. subj. of* benedire

benedire to bless

benissimo very well, well
enough

ber(e) to drink; da — something to drink

bestia beast

bestialità nonsense, (piece of) foolishness; **fare una** — to do something ugly, idiotic

beva *pres. subj. of* **bere**

bevere to drink [**bere**]

beverne = **be**(ve)**re** + **ne**

biancheria linen, bed *or* table linen

bicchiεre *m.* glass, tumbler, wineglass

bicchierin(o) little glass

bile *f.* irritation, bile; **fare mal la** — to be troubled with biliousness, ill-humor; **muɔvere la** — to make furious

bisognare to be necessary; **bisogna** one should; **bisogna che sia** it must be

bisogno need; **avere** — **di** to need, require; **non vi'ε questo** — there is no need of it

boccetta small flask

boccettina flask, scent-bottle, phial

bocconcino small morsel, bite

bontà goodness, kindness; **piεno di** — very kind; **trɔppa** — you are too kind

Borgogna Burgundy (*A French province, or the wine made there*)

bottiglia bottle

braccio arm, yard (*Florentine measure, app. 58 centimeters*)

bramare to want, desire

bravissimo very good

bravo good, fine, clever; — ! good for !

brindisi toast; **fare un** — to toast, give a toast

bruscamente brusquely, rudely

brutto ugly, unpleasant

bugiardo deceitful, false

buɔno good, profitable; **del** — something good; **il** — what's good; **εsser** — to be good enough, able

burbero surly

burlare to make fun of; *refl.* **burlarsi di** to laugh at, make sport of, mock each other

bussare to knock

C

cacciare to chase, thrust, hunt; — **via** discharge, send away; *refl.* — **avanti** to step up, come forward

cadere to fall, succumb; **sta lì lì per** — he is just about to fall, succumb

cagione *f.* cause

cagnolino lapdog, puppy

calamaio inkhorn

caldo warm, hot, excited, hot-blooded; **pɔco** — not very hot

calzolaio *or* **calzolaro** shoemaker [**calzolaio**]

cambiamento change

cambiar(e) to change

camera room, apartment

cameriɛre *m.* servant, waiter, valet

camerino little room, nice room

camminare to walk, travel

campagna country; **fattore di — ** land-agent

Canarie Canary Islands (*Islands in the Atlantic belonging to Spain*)

cane *m.* dog

capace capable, able

capire to understand

capisca *pres. subj. of* **capire**

capitare to come, arrive, come to

capitale *m.* **far — di** to make use of, count on

capo d'ɔpera masterpiece [**capolavoro**]

cappɛllo hat

capperi dear me! good gracious!

carattere *m.* character, type, rôle

caricatura caricature, affectation, exaggeration; **con — ** affectedly

caro dear, precious, delicious, my dear; **tenere — ** to treasure; **l'hɔ — ** I am glad of it

casa house, apartment, household, family

cascamɔrto; fare il — ** *or* **i

cascamɔrti to make desperate love

cascare to fall

caschino *pres. subj. of* **cascare**

caso happening, case; **in un tal — ** in such a case

cattivo bad, miserable; **fare — uso di** to abuse, take advantage of

causa cause; **per — di** because of; **per — vɔstra** on your account

cavaliɛre *m.* gentleman, *a generic title given to nobles, a title lower than that of count or marquis,* knight

cavare to draw away *or* out, remove

ce = ci before **lo, la, li, le, ne**

c'ɛ there is; **che — what is it?**

cɛda *pres. subj. of* **cɛdere**

cɛdere to yield

cenno sign; **far — ** pretend; **far — a** to motion to

cɛnto (one) hundred

cɛntomila one hundred thousand

cercare to try, look for

cerimonioso ceremonious, formal

certamente certainly

cɛrto certain(ly), sure(ly)

che *conj.* that, as, because, than, so that, when; **non + ** *verb* **+ che =** only

che *pron.* who, whom, that, which, what; *adj.* what,

what a, what kind of; —
cosa what? — c'è what is
the matter? da — since;
quel(lo) *or* ciò — what, that
which

chi who? whom?; he who,
him who, those who

chiamare to call, ask for

chiamarsi to be named

chiedere to ask

chiudere to close

ci *adv.* here, there, in it

ci *pron.* us, to us, each other,
to each other

ciarle *f. pl.* prating, chatter

ciarliera prattler, chatter box,
gossip

cielo heaven; sa il — heaven
only knows

cinquanta fifty

ciò that; — che that which,
what

cioccolata chocolate; una — a
cup of chocolate

Cipro Cyprus (*Greek island
in Mediterranean belonging
to Great Britain*)

circa: — a as to, as regards,
concerning

città city

civetta coquette, flirt,
" vamp "

civiltà politeness, courtesy;
per — out of politeness

codesto that

cogli = con + gli

cognome surname

col = con + il

colei she, her, that woman

colla = con + la

colle = con + le

collera anger; andare in — to
get angry

coloro they, those, them

colpire to hit, strike

coltivare to bestow attention,
care, cultivate

colui he, that man, that fellow

comandare to order, give
orders, command, need,
desire, wish, call upon;
comanda qualche cosa
d'altro? anything else I can
do for you?; come co-
manda(no) as you please;
comandi *or* mi comandi
at your service; mi co-
mandi con autorità speak
freely

comando order; ai comandi
di at the service of; al
vostro *or* ai vostri comandi
at your service, disposal

come how, as, as if, like;
—? what?

comica actress

commedia comedy; fare la —
play the game

commediante *m. f.* comedian,
actor, actress

comodo comfortable

compagnia company

compagno companion, equal,
like; è — di it goes with,
matches with; uno — one
like it [uguale]

comparare to compare

compassione *f.* compassion, pity

compatire to pity, tolerate, bear with, not to mind, pardon; compatite pardon me !

compiacer(e) to please; *refl.* to be pleased

compiacesse *p. subj. of* compiacere

compitissimo most gracious *or* accomplished

compito accomplished, polite, well bred

complimento compliment; fare complimenti to stand on ceremony; senza complimenti without (standing on) ceremony

comprar(e) to buy, purchase

comune common; poco — uncommon, rare

con with, for, in behalf of, towards, on account of

concetto conceit, concept; avere in mal — disdain

condizione *f.* position, rank, condition, quality, profession

condotta conduct, behavior

confermare to repeat, confirm

confessare to confess, acknowledge

confessi *pres. subj. of* confessare

confidarsi to confide

confidenza confidence, famil-

iarity; atto di — confidence, cordiality; con *or* in — confidentially, freely; fare una — to tell a secret; prendersi — to be familiar, take liberties

confondersi to get confused, perplexed, embarrassed

conoscere to know, appreciate, recognize, understand

conosciuto *p. part. of* conoscere

conquista conquest

conservare to keep, maintain; *refl.* to continue being

considerare to consider, reflect

consiglio advice

consistere to consist

consolare to console, comfort, relieve, soothe

conte *m.* count, *a noble title inferior to Marquis*

contea county (*domain or title of a count*)

contendere to contend, dispute

contentare to consent, allow, permit; *refl.* consent, permit, be satisfied

contento content, satisfied, happy

contessa countess

contessina countess, young countess

continuamente continually, frequently, always

conto account, bill; fare —

di to consider; **fare il —** to make out a bill; **quanto importa il —?** what's the amount of the bill?; **rendere —** to account, give satisfaction

convenevole proper

convɛngono *pres. ind. of* **convenire**

convenienza propriety, decency

convenire to suit, be necessary

converrà *fut. of* **convenire**

converrɛbbe *cond. of* **convenire**

conversazione company, companionship; **stare in —** to associate

convien(e) it is necessary, suitable; **mi —** I must

coprire to cover

coraggio courage; **fatevi —** have courage!

correr(e) to run; **— diɛtro** to run after

corrispondɛnza reciprocal feeling

corrispondere to reciprocate

corrono *pres. ind. of* **correre**

corte: far la — to court, flirt

cortesie: far le — to speak politely

cɔsa thing; *in place of* **che —** = what?; **che — c'ɛ?** what's the matter?

così so, thus, such (a)

cospɛtto appearance; **— di bacco** by Jove, Bacchus; **— del diavolo** by Jove, the dickens

costanza constancy

costare to cost

costɛi she, her, that woman

cɔsto cost; **a — mio** at my expense

costoro those, those people

costui this one, this man

cotanto such, so much, as much; **— quanto** as much as

cotesto = **codesto** that

cɔtto *p. part. of* **cuɔcere** to cook

creanza breeding, (good) manners; **fare una mala —** to be discourteous

credere to believe, think, suppose; **credo di sì** *or* **nɔ** I believe so, I believe not

crepare to burst, die, "croak"

crudɛle cruel

cucina kitchen

cucinare to cook, prepare

cui whom, which; **per —** on which account, because of which

cuɔco cook

cuɔr(e) *m.* heart; **di —** heartily, gladly; **hɔ —** I have the heart, courage

curiosissimo very peculiar, curious

curioso curious, queer, odd, extraordinary

D

da from, by, of, for, as, to, like; — **che** since; — **Lɛi**, — **me** to see you, me; **da sè** to himself

dà *pres. ind. of* **dare**

dagli = **da** + **gli**

dai = **da** + **i**

dal = **da** + **il**

dalla = **da** + **la**

dallo = **da** + **lo**

dama lady, lady of rank; **prime dame** ladies of highest rank

damina lady

dammi = **da** + **mi**

danaro money

danno damage, loss, harm

dar(e) to give, make, strike, give up, fall; — **da bere** to give a drink; — **del** to call; — **delle buone parole** to humor, speak kindly to; — **in tavola** to serve; — **l'incomodo** to put one to the inconvenience; **può darsi** it may be; **date qui** give it here

dargli = **dare** + **gli**

dategli = **date** + **gli**

datele = **date** + **le**

datemi = **date** + **mi**

davvero indeed, really

de' = **dei** [**dei**]

dɛa goddess

debole weak

debolezza weakness; *pl.*

weaknesses, human failings, humble efforts; **altrui** — the failings of others

deboli *m. pl.* foibles, failings

decɔro decorum, dignity, honor

degli = **di** + **gli**

degnare to deign, pay attention to; **non** — to disdain; *refl.* to condescend, be pleased, accept, be so good (as)

degni *pres. subj. of* **degnare**

degno worthy

dei = **di** + **i**

del = **di** + **il**

della = **di** + **la**

delle = **di** + **le**

denaro money

dentro in, within; **di** *or* **da** — *or* **per di** — from within

desiderare to desire

destinare to destine, intend

detto *p. part. of* **dire**

detto the same, aforesaid

dɛve *pres. ind. of* **dovere**

dɛvono *pres. ind. of* **dovere**

d' = **di**

di of, with, by, from, at, in, on, than; — + *inf.* = to . . .

di' *impve. of* **dire**

dia *pres. subj. of* **dare**

diamante *m.* diamond

diamine *m.* the deuce

diamo *pres. subj. of* **dare**

diamole let's give her

diavolo devil, the deuce; **fare il** — to raise the devil, try deucedly hard dica *pres. subj. of* dire

dice *pres. ind. of* dire

diceva *p. descr. of* dire

dichiararsi to declare oneself

diciate *pres. subj. of* dire

dico, dicono *pres. ind. of* dire

dieci ten

dietro after, behind; andare — to follow

difendere to defend, protect

difesa: in — on guard

difetto defect, fault

differenza difference, distinction; la — che passa fra the difference between

difficile difficult

difficoltà difficulty, objection; avere — to have any objection, trouble

dilettarsi to delight, take pleasure in, amuse oneself

dille = di + le

dimmi = di + mi

dimostrare to show

dir(e) to say, talk, tell, ask; dirvi di nɔ to tell you no; per dirvela as a matter of fact, to be frank with you; voler — to mean; *refl.* to call oneself

dirittura: a — at once, directly

dirne = dir(e) + ne

disagio inconvenience, trouble

discorrere to talk, chat, converse

disgustare to displease, offend, anger

disgusti *pres. subj. of* disgustare

disparte: in — aside

dispensare to excuse, distribute, pour out, give

dispetto spite, scorn; a suo — in spite of himself

dispiacere to displease; mi dispiace *or* me ne dispiace I am sorry; avete — do you mind?

disponetene dispose of them

dispor(re) to dispose, command

disprezzare to despise, scorn

disprezzator(e) *m.* despiser, hater

disprezzo scorn, contempt; con — disdainfully

disputare to quarrel, dispute, debate

dissensione *f.* dissension, dispute, disagreement

dissimulare to dissimulate, dissemble

dissipare to dissipate, squander

distanza distance

distillato distilled

distinguere to distinguish, discern

distinto different, distinct, favored, special

distinzioni *f. pl.* distinctions, favors, courtesies

disturbo trouble, bother

ditegli = dite + gli

disse *p. def. of* dire

diteglielo = dite + gli(e) + lo

dito finger; *pl.* dita

divenire to become

diventare to become

divɛrta *pres. subj. of* divertire

divertimento amusement, pastime, fun

divertire to amuse; *refl.* to enjoy *or* amuse oneself

divɔto devoted, faithful

divotamente devotedly

dɔ *pres. ind. of* dare

dodici twelve

dolce pleasant, sweet, soft

dolcemente gently, softly

dolcezza sweetness, pleasantness; con — tenderly

dolcissimo very kind, gentle

dolersi to complain

domandare to ask for, request, beg; domandatelo ask; domandi un pɔ(co) just ask

domani tomorrow

donare to donate, give, give away [dare, regalare]

donasse *p. subj. of* donare [regalasse]

doni *pres. subj. of* donare [regali]

dɔnna woman

dopo (che) after

doppia pistole (*gold coin varying in value according to locality*)

doppiamente doubly, twice

doppio double, twice as much; al — double; il — double;

il — più grande twice as large

dormir(e) to sleep

dove where, wherever; — pɔsso in whatever way I can

dovere to owe, be obliged, ought, must

dovere *m.* duty

dovessi *p. subj. of* dovere

dovrɛi, dovreste *cond. of* dovere

dubitare to doubt, fear, worry, suspect

dubiti *pres. subj. of* dubitare

due two

duɛllo duel

dunque then, well, well then

duro hard

E

e, ed and

e' = eglino they [essi]

ebbɛne well

eccellɛnza excellence; Your Excellency (*title of aristocracy*

ɛcco here is, here are

ɛccolo = ɛcco + lo

ɛccomi = ɛcco + mi

ɛccovi = ɛcco + vi

egli he, it; — ɛ che the fact is that

eh eh? hey? what's that?; — nɔ no, indeed

ei = egli he [egli]

ella she, you

entrare to enter, be concerned; — **in un impegno** to get into difficulties, trouble

entrassimo *p. subj. of* **entrare**

eppur(e) and yet, notwithstanding

esce *pres. ind. of* **uscire**

esibire to offer, proffer [offrire]

espressione *f.* expression, declaration

essa she, her

esser(e) to be, become, belong; **può** — it may be, perhaps

F

fa' *impve. of* **fare**

faccende di casa household duties

faccia face, appearance; **di** — opposite

faccia, facciano *pres. subj. of* **fare**

facciamola *impve. of* **fare** + **la**

faccio *pres. ind. of* **fare**

facesse, facessimo, faceste *p. subj. of* **fare**

famiglia family

fammi = **fa** + **mi**

fanciulla girl

fanne = **fa** + **ne**

fanno *pres. ind. of* **fare**

far(e) to do, make, commit, act, accomplish, perform, prepare, cook; — **all'amore** to court, pay court; — **complimenti** to pay compliments, stand on ceremony; — **da** to play the part of; — **male** to harm, make ill, upset; — **un conto** to make out a bill; **che** — anything to do, anything else to do; **come** — what to do; **quella che sappia** — the one who can deal with him; — **vedere** to show

farvi = **fare** + **vi**

fastidio weariness, trouble; **dar** — to worry, annoy

fatemi = **fate** + **mi**

fatto affair; *pl.* duties, affairs

fatto *p. part. of* **fare**

fattore *m.* steward, overseer; — **di campagna** land agent

favore *m.* favor

favorire to favor, be good enough, be good enough to come, so kind, have the kindness; **favorisca(no)** if you please

favorisca, favoriscano *pres. subj. of* **favorire**

favorisse *p. subj. of* **favorire**

fazzoletto handkerchief

felice happy

felicissimo most happy

femmina woman, female

fermarsi to stop, pause, linger, stay

fermatevi *impve. of* **fermare** + **vi**

fɛrro iron, flat-iron; — da stirare flat-iron

fiamma flame; in — aflame

fiasco flask, bottle

fico fig

fidarsi to trust; — di to put one's trust in

figlia daughter

figliuolo son; *pl.* children

finalmente finally, after all

finchè as long as

finezza courtesy, politeness, favor; *pl.* favors, acts of kindness [gentilezze, cortesie]

fingere to feign, pretend, make believe

finire to finish, end

finisca *pres. subj. of* finire

finto feigned, false, fictitious

finzione *f.* fraud, imposture

Firɛnze Florence

fò *pres. ind. of* fare

fondamento ground, foundation

fontana fountain

forchetta fork

forestiɛra stranger, guest, new lodger

forestiɛre *m.* stranger, guest, new lodger

forse perhaps

fɔrte loudly

fortuna fortune, good fortune

fortunato fortunate, lucky

fɔrza force, power; fare — to make an effort, to try; per — necessarily

fosse, fossi, fossero, foste *p. subj. of* ɛssere

fra between; — di between

fragile fragile, weak

franchezza frankness, openness, boldness; con — frankly, openly

frasca flirt, fickle woman

fraschetta flirt, frivolous woman

frattanto meanwhile; — che while

frequentare to frequent, visit

fretta haste, hurry; in — in haste

fronte *f.* forehead, brow; far — to face, fight

frutta *pl.* fruit

fuggire to flee, run away; — di mano escape; fuggirsene to flee, run away; che —! escape, nothing!

fumo smoke, fumes

fuɔco fire; in — on fire

fuɔr(i) out, outside; ɛsser fuɔr di sè to be beside oneself; — di scɛna off the stage

furbetta rogue, rascal

furbo rogue, rascal

furia rage; ɛssere sulle furie to be furious, in a rage, on the rampage

furiosamente in a rage

G

galante elegant [elegante]

galantuɔmo my good man

gallina hen

garbatissimo most polite

garbato graceful, genteel, polite, amiable, gracious

garbo grace; di — polite, courteous; con quel bɛl — (*ironical*) so courteously

gelosia punishment; avere — to be jealous

geloso jealous, envious; — come una bestia wildly jealous

gɛnere *m.* kind, sort; in che —? of what sort?; nel suo — of its kind

generosità generosity, liberality; con — generously

generoso generous, liberal

gɛnio humor, taste; pleasure, inclination; dare — (a) to please, suit; di Suo — to your taste [gusto, piacere]

gennaio January

gɛnte people, servants, " help "

gentile kind, polite, obliging

gentilezza kindness, politeness, courteousness

gɛrgo slang

gettare to throw, throw away, waste; — abbasso to knock down

già already, of course, at any rate, indeed; non — che io not that I

gioielliɛre jeweller

gioiɛllo jewel, gem

giorno day; uno zecchino il — a sequin a day; ɔtto giorni a week

giovane *m. f.* young man, young woman

giovine = giovane

giù down

giudicare to judge

giurare to swear

gli *art. pl. of* lo

gli *pron.* to him, to it

gliel(a) it to him, it to her, it to you

gliele them to him, them to her, them to you

glieli them to him, them to her, them to you

gliel(o) it to him, it to her, it to you

gliene of it to him, of it to her, of it to you, some to him (her, you)

godere to enjoy, take pleasure, be delighted, profit; *refl.* to enjoy oneself; godersela to have a good time

gonzo fool, simpleton; foolish, silly

gradire to accept, be pleased to accept, please

gradisca *pres. subj. of* gradire

grado rank, title

gran, grande large, great, fine, noble

grazia grace, charm, favor; con vɔstra buɔna — by your kind leave; in —

please; *pl.* favors, kindness

grazie *interj.* thanks, thank you

grazioso elegant; **fare il —** to play the gallant

guardare to look (at), look over, see, notice; **— di buɔn ɔcchio** to be fond of, care for; **guardarsi di** to keep on one's guard against, be wary of; **guardimi il ciɛlo !** Heaven forbid!; **non guardo a** I do not grudge, consider

guardi *pres. subj. of* **guardare**

guardia: in — on guard

guarito recovered, cured

gustare to taste

gusto taste; **con pɔco —** displeased, unhappy; **dare —** to please; **ɛssere di buɔn —** to have good taste; **di più buɔn —** in better taste

I

i *def. art. pl.* the

il *def. art. sg.* the

illustre illustrious

illustrissimo *as a title* Your Lordship; most illustrious

immediatamente immediately, at once

imparare to learn, learn how

impazzare = **impazzire**

impazzire to go mad, lose one's mind

impedire to prevent, stop, hinder

impegnarsi to wager, bet, guarantee

impegnato pledged

impegno firmness, zeal, earnestness; obligation, debt, difficulty; **ɛssere in — di** to be determined; **entrare in un —** to get into difficulties; to have to settle with

impertinɛnte insolent; *m. f.* saucy, insolent person

impertinɛnza impertinence, insolence, forwardness, insult

importanza importance, gravity

importare to matter, amount to, come to

importuno importunate, presumptuous

impossìbile impossible; **mi pare ancor —** I can scarcely believe

impresa task

in in, on, at, to, for

incantare to charm

incantasse, incantassi *p. subj. of* **incantare**

inchinarsi to bow, greet, salute

incɔgnito unknown

incomodare to disturb, trouble; *refl.* incommode or disturb oneself, put oneself out

incomodiate *pres. subj. of* **incomodare**

incomodo inconvenience, trouble; **dare —** to put (one) to inconvenience; **recare —** to inconvenience

incontrarsi to meet

indegno unworthy, wicked, contemptible

indiavolarsi to get angry

indietro back, behind, in the background; **—!** stand back !

indifferenza indifference; **con —** indifferently

indole *f.* temperament

infermità weakness, infirmity

infinitamente infinitely, extremely, very much

ingannare to deceive; *refl.* to be mistaken, deceived

ingiuria injury, wrong, insult

ingiuriare to insult; *refl.* to insult one another

ingrato ingrate, ungrateful person

inimico enemy [**nemico**]

innamorare to enamor, to inspire (with) love, to cause to fall in love; *refl.* to fall in love

innamorato in love; **fare l'—** be in love

insegnare to teach, show

insinuarsi to ingratiate oneself

insopportabile unbearable, insupportable

insultare to insult

intanto meanwhile

intendere to understand, know, mean; **dare ad —** to make one believe *or* think; **intendo voler esser** I mean to be; **intendersene** to be a connoisseur, to be a good judge of

interesse *m.* interest, personal interests; **per mio —** for my own interest, for selfish motives

interrogare to question, ask

inteso understood

intingoletto ragout, stew

intingolo ragout, stew

invaghire to fall in love, be enamored (with); *refl.* to fall in love

invece instead, on the other hand

invitare to invite

involontariamente involuntarily, unwillingly

io I, as for me

ira anger, wrath; **con —** angrily

irato angry; angrily

ironico ironic; ironically

iscena = **scena**; **in —** on the stage

isdegno = **sdegno**; **con —** indignantly

ispendere = **spendere**

isperanza = **speranza**

istare = **stare**

L

l' = la or lo *before a vowel*

la = ella

la *def. art.* the

la *pron.* her, it

là *adv.* there

lagnarsi to complain

lagrima tear

larga: alla—away with them

lasci, lasciate *pres. subj. of* lasciare

lasciar(e) to leave, allow, leave off, leave behind, let, cease; — correre qualche cosa overlook, let some things go by; lasciatemi stare let me be; lasciamo andare we'll let it be; lasciate pensare a me leave it to me; lascia vedere let us see; come — how could one leave

lavare to wash; *refl.* to be washed

lazzo joke, skit

le to her, to it, to you, them, you

legare to bind, set (a jewel)

leggere to read

lei her, she, you; il di — his, her, your

lesso boiled meat

lettera letter

letto bed

levare (a) to take off, away, remove, take out; deny; — di terra pick up

li = i

li them, you

lì there; sta — — he is just about

liberamente freely

libertà freedom; con — freely

libro book

licenza permission

limite *m.* limit; nei limiti within the limits

linguaggio language

liquore *m.* liqueur, cordial

Livorno Leghorn (*seaport midway between Genoa and Rome*)

lo it, him

locanda inn, pension

locandiera innkeeper, mistress of an inn

locandiere *m.* innkeeper

lodare to praise, admire, commend

Londra London

lontano far away; stare — to keep away

lor(o) them, you, your; to them, to you; your(s), their(s)

lui him, it, he; il di — his

lungo long

luogo place; in ogni — everywhere

lusinga flattery, allurement, soft words

lusingare to flatter, encourage, lead on; *refl.* to flatter oneself, build false hopes, be taken in, feel encouraged

lusinghiero flattering, deceitful, wheedling

M

ma but

macchia spot, stain

macchiare to spot, stain

madama madame

madre *f.* mother

maggiore greater, greatest

mai never, ever; — **più** (n)ever again; **che** — what on earth

mal, male ill, bad, badly; **mal procedere** ill conduct, incivility

mala creanza unmannerly action

maladetto = **maledetto**

malamente badly

male *m.* ill, illness, ailment, trouble, wrong; **fare** — to hurt, harm, upset; **venire** — to become ill, indisposed

maledettamente horribly, very much

maledettissimo cursed

maledetto confounded, confounded rascal, wretch; **che tu sia** — confound, curse you

maledire to curse

malizia malice, cunning; **a** — maliciously, on purpose; *pl.* tricks

malo bad

mancare to be lacking, need, want; — **di parola** to break one's word; **sentirsi** — to feel weak, faint

mandare to send; — **a chiamare** to send for; — **a male** to ruin, spoil; — **a vedere** to send to inquire

mandasse, mandassi *p. subj. of* **mandare**

mangiare to eat; defraud; **va mangiando** he goes on eating

maniera manner, behavior; **avere buona** — to be well-mannered, likable; **in** — **che** so that

manifesto manifest, evident

manna manna (*heaven-sent food*)

mano *f.* hand

maraviglia wonder, miracle

maravigliarsi to be surprised, astonished

marchesa marquise, marchioness

marchesato marquisate, estate of a marquis

marchese *m.* marquis

marcio: a suo — **dispetto** in spite of himself

maritare to marry; *refl.* to marry, get married

marito husband

materia matter, material; **in** — **di** as regards, on the subject of matrimonio matrimony, marriage

mattina morning

me me, myself

meco with me [con me]

medesimo himself, itself; same, very; te — your (own) self

medicamento medicine, remedy [medicina]

meglio better; del — something better; il — the best (of it); tanto — so much the better

melissa: spirito di — melissa water, (a cordial)

meno less; poco — almost

mentire to lie

mentita lie, accusation of lying; dare una — to give the lie, accuse of lying

mentre while

meritare to merit, deserve, be deserving of

meriti pres. subj. of meritare

merito qualities, worth, merit, importance; farsi — con to gain favor with; persone di — persons of social rank

meschino wretched, poor

mese m. month

messo p. part of mettere

mestamente sadly

metta pres. subj. of mettere

mettere put, place, set; — a confronto di compare with; — al coperto to protect, safeguard; — con compare with; — in dubbio to cast doubt upon; — in ridicolo to ridicule, turn or expose to ridicule; refl. begin; — in guardia to put oneself on guard

mezzo half; almost; di — middle

mi, me to me, for me, on me, from me

mia see mio

miei pl. of mio

migliore better, finer, best; di cosa — with something better

mila pl. of mille thousand

mille a thousand

minacciare to threaten

minimo least; una — parte a small fraction

minor(e) less, lesser

mio my, mine, my dear

mirare to look at

miserie: — umane human failings

misterioso mysterious, enigmatical

mistero mystery

modo way; di — che so that

moglie f. wife

molto much, very, a great deal; — meno much less; pl. many

momento moment; qualche — a little while

mondo world, society; al (del) mondo in the world, on earth; in tanto — che ho

veduto in all my experience, travels; **tutto il —** everybody

moneta coin, change; *pl.* money, wealth, riches; coins

morire to die, perish

morisse *p. subj. of* **morire**

mortificare to mortify, grieve, hurt

morto dead

mostrare to show; **— di** to feign, pretend

mostri *pres. subj. of* **mostrare**

motivo reason, ground, motive

mozzo broken off

m(u)overe to move, incite

mutare to change

N

Napoli Naples

napolitano Neapolitan, of Naples

nascere to be born, arise, happen

nascondere to hide, conceal; *refl.* to hide oneself, dissemble

nato *p. part of* **nascere** to be born

natura nature, humor

navicello boat, packet

nè nor; **— ... —** neither ... nor

ne of it, of them, some, any

necessario necessary, indispensable

negare to deny

negli = **in** + **gli**

nei = **in** + **i**

nel = **in** + **il**

nell(a) = **in** + **la**

nell(o) = **in** + **lo**

nemico enemy; **— capitale** mortal, sworn enemy

nemmeno not even, even, either, neither

nessuno any, no one, any one

niente nothing, anything, at all, not at all; **— affatto** nothing at all, not at all; **non ... di —** not ... at all

no no

nobile noble, of noble blood, refined

nobiltà nobility, rank, dignity

noi we, us; **noialtri** we

nome *m.* name; **avere —** to be called, named; **— finto** assumed name, fictitious name

non not; **— ... che** only; **— ostante** notwithstanding, in spite of; **— più** not any more

nonna grandmother

nonostante notwithstanding

nostro our, ours, of our, of ours

novità novelty, news, sudden change, strange behavior

nulla nothing, anything

nuovo new, strange, unusual; **che cosa vi è di —?** what is the news?

O

o or, either; o ... o either ... or

obbedire to obey; per obbedirvi or obbedirla at your service, thank you; obbedisco I obey

obbligante obliging, kind [cortese]

obbligare to oblige, to put under an obligation

obbligatissimo very much obliged, thank you very much

occasione f. occasion, opportunity, chance

occhio eye; con questi miei occhi with my very eyes; chiudere un — to wink an eye, be indulgent; di buon — favorably

occorrenze: nelle — when needed

occorrere to be necessary, need, want; non occorr'altro that's all; occorrendo if necessary

odio hatred; avere in — to hate

odorare to smell

odore m. odor, fragance, smell

offerisce pres. ind. of offrire [offre]

offerta offer

offeso offended

offizio duty (variant of uffizio, ufficio)

offrire to offer

oggi today; per — today

ogni every, any; più d'ogni altro more than anyone else

ognuno everyone

oh ! oh !

oibò ! oh, no ! certainly not !

oimè goodness ! oh, dear ! alas !

oltre besides, in addition to

onestà modesty, honor

onestamente honestly, modestly, honorably

onesto rightful, decent

onorare to honor

onorato respectable

onor(e) m. honor; darsi l'— to consider oneself honored; far — to honor

opera: capo d'— masterpiece, chef-d'œuvre [capolavoro]

operare to act

opinione f. opinion, mind

or(a) now; — — just now, in a moment, shortly; per — right now; for the time being

ora n. hour, time (of day); da qui a due ore two hours from now; poche ore sono a few hours ago

Orazio Horace

ordinare to order

ordinario ordinary, commonplace, inferior

orecchino earring, pendant

orecchio ear

ɔro gold

orrìbile horrible, fearful, disgraceful

orsù come now, now then, well

Ortɛnsia Hortense

osservare to observe, look, look at

ossɛrvi, ossɛrvino *pres. subj.* of osservare

ostante: non — notwithstanding

ostinato obstinate, intractable

ɔttimo excellent, best; ɛ di un — gusto she has very good taste

ɔtto eight; — giorni a week

ɔvo egg; *pl.* ɔva [uɔvo]

P

pace *f.* peace, quiet, peace of mind

padre *m.* father

padrona mistress, landlady; — di casa landlady; ɛssere — to be welcome; vi faccio — I place them at your disposal

padroncina mistress, charming young mistress, hostess

padrone *m.* master, owner, sir; ɛssere — to be welcome

paese *m.* (native) town, country, province

pagamento payment

pagare to pay, pay for, repay

pagassi *p. subj. of* pagare

pagherò, pagherete *fut. of* pagare

paiono *pres. ind. of* parere

palermitana from Palermo (city in Sicily)

pane *m.* bread

paniɛre *m.* basket; — della biancheria clothes basket

paolo *Tuscan coin worth only a few cents*

par = pare *pres. ind. of* parere

parecchi several

parere to seem; parmi *or* mi pare it seems to me; come *or* che vi pare? how do you like it?

pari equal; da suo — accordingly; da vɔstra — good enough for you, for such as you

parlar(e) to speak, talk; — d'altro to speak of something else

parli *pres. subj. of* parlare

parɔla word; mancar di — to break one's word; dare delle buɔne parɔle to humor, speak kindly

parta *pres. subj. of* partire

parte *f.* part, rôle; fare una — act a rôle

particolare particular, special, extra

partire to depart, leave

parzialità partiality

passare to pass, leave, exist; se la cɔsa passa così if nothing worse happens; far

— l'appetito spoil one's appetite

passatempo pastime, diversion

passato past, over

passeggiare to walk, walk about

passeggiero lodger, passenger

passione *f.* passion, feeling, emotion, weakness

patire to suffer

patria home, home town, district

paura fear; avere — to be afraid

pazienza patience; never mind

pazzia madness, nonsense; *pl.* nonsense, folly, whims

pazzo fool, nit-wit; insane

peggio worse; la cosa va sempre — things are going from bad to worse; tanto — so much the worse

pei = per + i

pel = per + il

penare to suffer, be tormented

peni *pres. subj. of* penare

pensare to think; — a to think about; non — a not to worry

pentirsi to repent, be sorry

per by, for, through, in order to, on account of, as, as for; per uno each

perchè why, because, in order that; il — the reason

perda *pres. subj. of* perdere

perdere to lose; spoil, deteriorate; perdersi con to lower oneself with

perdonare to pardon; perdoni! pardon me!

perdoni, perdonino *pres. subj. of* perdonare

pericolo danger

permesso permission; è —? may I come in?

permetta *pres. subj. of* permettere

permettere to permit, allow

permissione *f.* permission [permesso]

però however, but, notwithstanding

persona person

personaggio person, actor, personage [attore = actor]

pezzo piece, morsel

piacciono *pres. ind. of* piacere

piacere *m.* pleasure, favor, delight; avere — to be pleased, glad; fare — to give pleasure; fare un — do a favor, oblige

piacere to please; mi piace I like

piacesse, piacessi *p. subj. of* piacere

piangere to cry, weep

piano softly, slow, aside, in a low tone; pian — slowly, softly, gently

piatto dish, plate

picchiare to knock (at a door)

piccolo little

piede *m.* foot; in piedi standing, standing up; **tra i piɛdi** in one's way

piegare to fold

piɛno full

pietà pity, mercy, compassion

pigliare to take, get; — **sopra di me** to take upon myself

Pisa Pisa (*famous city on the Arno about 50 miles west of Florence*)

più more, most, better; — **oltre** farther; — **vɔlte** many times, often; **di** — the more, extra; **in** — **di** more than; **non** — never before; not any longer

piuttɔsto rather, somewhat

pɔchi *pl. of* **pɔco** a few

pɔco little; **nè** — **nè molto** in the least; **per** — for a short time; **un** — **di** a bit of; **un altro** — a little more; **un** — a little, just; *pl.* few; — **ore sono** a few hours ago; — **vɔlte** rarely

pɔi then, afterwards, however, after all, later

polito clean

ponetela = **ponete** + **la** put it

porcheria miserable stuff; **fare una** — play a shabby trick

pɔrga *pres. subj. of* **pɔrgere**

pɔrgere to hold out, give

porre to put, place

porsi = **porre** + **si**

pɔrta door; — **di mɛzzo**

middle door; **sulla** — on the threshold

pɔrtale = **pɔrta** + **le**

portar(e) to carry, bring, take, bear; — **rispɛtto** to show respect

pɔrti, portiate *pres. subj. of* **portare**

pɔssa, pɔssano *pres. subj. of* **potere**

possiamo *pres. of* **potere**

possibile possible

pɔsso *pres. ind. of* **potere**

pɔsta: a — on purpose

posto *p. part. of* **porre**

poter(e) to be able; can, may; **puɔ ɛssere** it may be

potessi, potessero *p. subj. of* **potere**

potrà *fut. of* **potere**

potrɛbbe, potrɛbbero *cond. of* **potere**

poverino poor one, poor little dear, poor fellow

pɔvero poor, poor man

povertà poverty

pranzare to dine, eat dinner

pranzo dinner, lunch

praticare to associate with, be in the society of; practice, show

pratico (di) familiar (with)

precipitare to lose one's patience, start trouble

pregare to beg, entreat, ask

pregiudicare to prejudice, damage

prɛma *pres. subj. of* **prɛmere**

prɛmere to matter, concern; **mi prɛme** I must, I am anxious; **non mi prɛme** I do not care (about), I don't mind

premura haste, urgency; **avere —** to be in a hurry; **un affare di —** an important engagement

prɛndere to take, get, make; **— di tɛrra** pick up; **la manderɔ a — pel servitore** I'll send my servant for it; **prɛndersi** to take; **— un pɔco di spasso** to amuse oneself a little

preparare to make ready, prepare

presentare to present, offer, put; make a present, give

presɛnte *adj.* present

presɛnte *m.* present

presɛnza presence

preso *p. part. of* **prɛndere**

prɛsso near; **— a** near

prestare to lend, loan

prɛsto soon; **— —** quickly, very soon; **— o tardi** sooner or later

presuntuoso presumptuous

pretɛndere to pretend, claim, demand, expect

pretensione *f.* pretension, claim, aspiration; *pl.* ambitions [**pretesa**]

pretɛsto pretence; **col —** under the pretext

prevenzione *f.* preconception, prejudice

prezioso precious, exquisite, excellent, valuable, dear [**squisito**]

prima *adv.* before, sooner; **— che** before; **— del sɔlito** earlier than usual; **quanto —** very soon, as soon as possible

primo first; **il —** the first, before anyone else, highest ranking

principessa princess

principiare to begin

princisbɛch *m.* pinchbeck, brass (*an alloy of copper and zinc used to imitate gold in cheap jewelry*)

procɛdere to behave oneself, proceed; *n. m.* behavior; **mal procɛdere** rudeness, ill-breeding

prodigio prodigy, miracle, wonder

prodotto produced

profittare to profit, turn to profit

profondo profound, deep

promesso promised (*p. part. of* **promettere**)

promettere to promise

pronto ready

propɔsito: a — di speaking of

prɔprio really, just, indeed, own

protɛggere to sponsor, support, protect

protettore *m.* protector, patron

protezione *f.* social influence, prestige, support, protection

provare to try, feel, experience, prove; *refl.* to try, make an attempt

provaste *p. subj. of* **provare**

provengono *pres. ind. of* **provenire**

provenire to proceed, come from

provocare to provoke, arouse, incite

provveda *pres. subj. of* **provvedere**

provvedere to provide, furnish; *refl.* take suitable measures, make (necessary) arrangements; — **di** to provide oneself with

pubblico public; **in** — openly; **render** — make known

pulito clean

pulizia cleanliness, neatness; **con** — neatly [**eleganza**]

punto point, place, moment; **il** — **stà** the fact is

può *pres. ind. of* **potere**

pur(e) yet, indeed, nevertheless, also, too, well, if you will, just; **se** — **ve ne sono** if, indeed, there are any

puro pure, simple

Q

qua here; **sin** — up to this point

qual = **quale**

qualche some, any; — **cosa di grande** something quite out of the ordinary; an important decision; — **poco** somewhat; — **volta** at times, sometimes

quale what, which; **il** — who, which

qualità quality, worth, rank; **tenere in** — **di** to consider as

qualunque whatever, whatsoever, any

quando when, whenever, if, in case, since; — **mai** if ever

quanto how much, as long as; **in** — **a** as for, as to; — **prima** as soon as possible, soon; **(co)tanto** ... — as much ... as; **quanti** ... **tutti** as many as ... all

quasi almost

quattro four

que' = **quei** those [**quei**]

quegli those

quei those

quel that

quella that

quelle those

quelli those

quel(lo) that; — **che** that which, what

questi this one, this man, the latter

questione *f.* question

questo this, this one; **per** — on this account; **non per** — not for this reason qu*i* here, now

qui*e*te *f.* quiet, rest, peace of mind

R

r*a*bbia rage, fury

racconto story

ragazza girl, child

ragione *f.* reason; avere — to be right; per — alcuna for any reason; per — di because of

rallegrarsi to be glad, rejoice

rammaricarsi to lament, grieve

rappresentarsi to be played

recare to bring; — inc*ɔ*modo to inconvenience

regalare to give presents, make a present to, to give away [fare dei regali]

regalo gift, present

r*ɛ*nda *pres. subj. of* r*ɛ*ndere

r*ɛ*ndere to render, make, return, give back; — conto to make amends, settle accounts, give satisfaction, give explanations

res*i*stere to resist

restare to remain, be, have left

restassi *p. subj. of* restare

r*ɛ*sti, restiate *pres. subj. of* restare

r*ɛ*sto rest, remainder

ricchezza riches, wealth

ricco rich

ric*e*vere to receive, admit, accept; per — as a reception room

ricomp*ɛ*nsa recompense, reward

ricompensare to recompense, reward

ricordarsi to remember

ricuperare to recover, take back

ricusare to refuse, reject

rida *pres. subj. of* r*i*dere

r*i*dere to laugh; sar*ɛ*bbe da — it would be funny, a joke; *refl.* laugh

rid*i*colo ridiculous; m*e*ttere in — to ridicule, hold up to ridicule

riguardo regard, consideration; — [a] regarding

rimandare (di*ɛ*tro) to send back

rimanere to remain, be

rim*ɛ*dio remedy, help

rim*ɔ*rso remorse, pang

ringraziare (di) to thank, give thanks (for)

rinvenire to revive, come to

rinvi*ɛ*ne *pres. ind. of* rinvenire

rip*ɛ*tere to repeat

ripone *pres. ind. of* riporre

riporre to replace; — via to put away

riputazione *f.* reputation, good name; con — honorably, with decency

riscaldarsi to get angry, get excited

riscaldi *pres. subj. of* **riscaldare**

rischio risk

risoluzione *f.* resolution; — **da uɔmo** manly resolution

rispettare to respect, esteem, bear respect

rispɛtto respect; **farsi portar** — to make oneself respected; **portar** — to show respect

rispondere to reply

ristorare to restore; **per ristorarsi** as a tonic

ritirare to draw, withdraw; *refl.* withdraw

ritornare to return, come back

ritorno return

ritrovare to find, meet, meet with

ritrɔvo retreat, resort

riuscire to succeed

rivale *m.* rival

rivedere to see again, see, meet again

rivedremo *fut. of* **rivedere**

riverɛnza bow, curtsey

riverir(e) to present one's respects, bid good-bye

riveritissimo most respected

riverito honorable, honored

rɔba material, stuff, goods, victuals, things

romano Roman, from Rome

romore *m.* noise, uproar, fuss (*variant of* [**rumore**])

rompere to break, smash

rosso red, rosy

rotto *p. part. of* **rompere**

rovinare to ruin, ruin the reputation of; *refl.* to ruin oneself

rumore *m.* noise, uproar

rustico rustic, uncivil

S

sa, sai *pres. ind. of* **sapere**

sala hall, public room, parlor, dining room

salsa sauce

salute *f.* health; **alla** — **di** here's to

salvietta napkin [**tovagliɔlo**]

sangue *m.* blood

sanno *pres. ind. of* **sapere**

sapere to know, know how, find out; — **dire** to be able to tell; — **di sicuro** know positively

sapessi, sapɛssero *p. subj. of* **sapere**

sapore *m.* taste, relish, flavor

saporito savory

sappia, sappiate *pres. subj. of* **sapere**

saprà, saprɔ *fut. of* **sapere**

sarà, sarai, saran(no), sarete, sarɔ *fut. of* **ɛssere**

sarɛbbe, sarɛbbero *cond. of* **ɛssere**

savio wise, discreet, sensible

scacciare to drive away

scaldare to warm, heat

scappare to escape

scarpa shoe

scɛna stage, scene; fuɔr(i) di — off-stage; vɛrso la — toward the wings

scherzare to jest, joke

scherzo joke; fare uno — play a joke

scioccamente foolishly, stupidly

scioccheria foolishness

sciɔcco fool

scomettere to wager, bet

scontɛnto discontented, unhappy, disappointed

scopɛrto revealed, discovered (p. part. of scoprire) [rivelato]

scoprire to discover, notice; refl. to show oneself, reveal one's identity; — innamorato di to make known one's love for

scordare to forget; refl. to forget

scɔrno: a — di to the shame of

scostarsi to draw away

scottare to burn, scorch

scottatura burn; fare una — inflict a burn

scrivere to write, write down

scrupolo scruple, uneasiness, suspicion

scudo écu, crown (a gold or silver coin differing in value. In Italian cities worth a little more than five lire)

scusa excuse, pardon; chiedere or domandare — to beg one's pardon, apologize

scusare to excuse, pardon

scusi pres. subj. of scusare

sdegno anger, wrath

se if

sè pron. himself, herself; da — to herself, himself

sebbɛne although

seccare to bore, annoy

seccatore m. bore, " pest "

seco with him, her, to himself [con se]

secondo second, another; — me in my opinion

secreto secret

sedere to sit, sit down

sɛdia chair

segno sign, mark, token; a tal — to such a degree, an extent, so much

segretamente secretly, in secret

segreto secret

seguire to follow, continue; come segue as follows

seguitare to continue

seguitiate pres. subj. of seguitare

sɛi six

selvatico wild, savage, boorish

semplice simple, bare, mere; n. naïve person

sɛmpre always, still, yet; — più more and more

sɛnta, sɛntano pres. subj. of sentire

sentire to hear, listen, taste, feel [assaggiare = taste]

senza without; senz'altro unquestionably; — che without; restare — to do without

sera evening

serietà seriousness, gravity; con — gravely

serio serious; sul — seriously

serva pres. subj. of servire

servidore m. = servitore [servitore, servo]

servire to serve, obey, oblige, help out, to be of use; — in tavola to wait on; che serve? what is the use; La servo at your service

servirsi di to use

servitore m. servant

servizio service; — di (da) tavola table service

servo servant

sesso sex

seta silk

sfidare to challenge

sforzare to try, strive, force, force open

si refl. pron. himself, to himself, herself, to herself, itself, to itself, themselves, to themselves, each other, one another; one, people, we, they

sì yes; so; such

sia, siate pres. subj. of essere

siccome as, just as; similarly

siciliano Sicilian

sicurezza security, safety, well-being

sicurissimamente most certainly, absolutely

sicurissimo surest, infallible

sicuro sure, certain; certainly; di — certain

siede pres. ind. of sedere

Siena Sienna

sieno = siano (pres. subj. of essere) [siano]

signora lady, Mrs., madam

signor(e) m. gentleman, sir, Mr.; — Marchese Your Lordship; signori miei gentlemen

signoria lordship, ladyship

simil(e) similar, like, such, such a; una — one like her

simpatia sympathy

sin: — dove to what extent; — quà so far

sincerità sincerity, frankness

sincero sincere, plain

sinchè until

singolare singular, remarkable

smaniare to rage, storm, be in a fury

smorfia grimace; pl. affected manners

smorfiette coy mannerisms, kittenish ways

so pres. ind. of sapere; un non — che a certain something

soccorrere to aid, assist, rescue

soccorso rescued, revived

soddisfazione *f.* amends, restitution, satisfaction

sofferɛnza patience [tolleranza]

soffrire to suffer, endure, put up with [tollerare]

soggɛtto subject

soggezione *f.* subjection, shyness, constraint; avere — to be afraid; dare — to embarrass; porre in — to make afraid, confuse; tenere in — to embarrass

sɔgliono *pres. ind. of* solere

solamente only

sɔldo penny

solere to be accustomed

sɔlito usual, accustomed; ɛssere — to be wont, accustomed; prima del — earlier than usual

sollɛcito prompt, quick; rɛndere — make eager

solo alone, left alone

sopra on, over; come — (*stage direction*) as above

sopraffino superfine, exquisite

sorprɛndere to surprise, astonish, overpower

sɔrta = sɔrte

sɔrte *f.* kind, sort

sospettare to suspect

sospɛtto suspicion

sospirare to sigh

sospiro sigh

sostenere to maintain, hold, insist, continue; — un carattere to play a rôle, impersonate

sostenghiate *pres. subj. of* sostenere [sosteniate]

sostɛngo *pres. ind. of* sostenere

sostenuto reserved; sullenly

sostiɛne *pres. ind. of* sostenere

sotto under, below

sottocɔppa saucer, tray

soverchiare to surpass, outdo, exceed [sopraffare]

spaccare to break, split, crack

spada sword

spasimare to be smitten, desperately in love

spasimassi *p. subj. of* spasimare

spasimato infatuated; fare gli spasimati to be (absurdly) infatuated; *n.* suitor [spasimante]

spasso amusement, pastime; prɛndersi — to have fun, enjoy oneself

spɛndere to spend

speranza hope

sperar(e) to hope, expect

spesa expense, expenditure

speso *p. part. of* spɛndere

spiegare to unfold, explain; *refl.* to explain

spirito spirit, mind, wit, courage; cordial; di pɔco — faint-hearted; hɔ tanto — che basta I have enough presence of mind; pron-

tezza di — readiness of wit, vivacity; *pl.* restoratives, spirits (*distilled liquors*)

spɔsa wife, bride; **dar la mano di** — to promise to marry

sposare to marry; *refl.* to get married; to engage oneself to marry

sposassi *p. subj. of* **sposare**

sprezzare to scorn, despise

spropɔsito nonsense, absurdity, rash act

squisito exquisite, excellent

stamattina this morning

stancarsi to grow tired

stanco tired

stare to be, stay, remain; **staremo a vedere** we shall see

stato state, situation, condition, position [condizione]

stato *p. part. of* ɛssere *and* **stare**

stesso same, self

stima esteem, regard; **fare — di** to have respect, regard for

stimare to esteem, appreciate, respect, consider, prize

stirare to iron; **da** — for ironing, ready to iron

stɔ *pres. ind. of* **stare**

stoccata thrust

straordinario extraordinary, unusual, remarkable

strapazzare to ill-treat, chide, abuse

strapazzo insult

strappare to tear out

strappassi *p. subj. of* **strappare**

strascinare to draw, drag

stravagante extraordinary, peculiar; **di** — striking [eccezionale]

stregamento bewitchment, enchantment

stregare to bewitch

strepitare to clamor, fuss

strɛpito noise, uproar, disturbance

su on, upon, up, at, in

subito at once, immediately, suddenly

succɛdere to happen

successione *f.* succession, heirs

succɛsso *p. part. of* **succɛdere**

sufficiɛnza: a — enough, a goodly quantity

sugli = **su** + **gli**

sui = **su** + **i**

sul = **su** + **il**

sulla = **su** + **la**

sullo = **su** + **lo**

suo (*pl.* **suɔi**) his, her, its, your, yours

superare to overcome

supɛrbo proud; fine, exquisite; *n.* haughty man

superi *pres. subj. of* **superare**

supplicare to beg

supplire to supply, make up

svenimento fainting fit, swoon

svenire to faint, swoon away

svenuto *p. part. of* **svenire**

T

tal, tale such, like; **un(a) tal** such a

tanto *adj.* so much; *pl.* many; **— e —** ever so many

tanto *adv.* so much, so, enough; **— basta** that's enough; **—... quanto** as much . . . as; **tant'è** in any case, anyway

tardi late

tasca pocket

tavola table; **a —** dining; **buona —** good food; **in —** on the table, at meals, served; **servire in —** wait on table

tavolino table, writing-table, little table

te you, to you

teatro theatre, stage

temere to fear

temerità forwardness, rashness

tempo time; **ad altro —** another time, some other time; **è qualche — che** it is some time since

tenere to hold, keep, take

tenerezza: con — affectionately

tenero tender, cordial

tenga *pres. subj. of* **tenere**

tentare to tempt, attempt, try

tentasse *p. subj. of* **tentare**

terminare to finish, end

terra earth, world; **— da**

levar le macchie fuller's earth; **gettare in —** to throw down

terribilmente terribly, dreadfully

terzo third

tesoro treasure

testa head; **andare alla —** to go to one's head

ti you, to you

tieni here ! take this !

timore *m.* fear; **avere —** to fear

tipo type, kind

tirare to draw; **— fuori** to bring out, produce

titolo title; **i titoli sono finiti** good-bye titles !

toccare to concern; touch, clink; **— a** to fall to; **a me non tocca** it's not for me

toccasse *p. subj. of* **toccare**

tocchi *pres. subj. of* **toccare**

tolleranza patience

tondo dish, plate [**piatto**]

tormentare to torment, torture, trouble

tornare to turn, return, come back; **— a dir** to say again, repeat

torrente *m.* torrent

torto wrong, injury; **fare — a** to do injustice to

toscano Tuscan, from Tuscany

tra between

tradire to betray

trascinare to draw, drag

trattamento treatment, reception; circa (per) il — about the terms, accommodations

trattare to deal with, associate, be in the society of; treat, discuss

trattenere to stop, *refl.* tarry; trattenersi con to dally with

trattɛnga *pres. subj. of* trattenere

trattɛngo, trattiɛne *pres. ind. of* trattenere

tre three

trecɛnto three hundred

tredici thirteen

tributo tribute

trionfare to triumph, rejoice, exult

trionfo triumph

trɔppo too much, too many, too; un pɔco — a little too far; pur — unfortunately, only too well; trɔppe grazie you are too kind

trovare to find; *refl.* to be

tu you

tuɔi your(s)

turbato troubled, worried

tutto all, everything; del — altogether; *pl.* all, everybody; tutte così all alike; tutti (e) due both, both of you

U

ubbriacare to make drunk; *refl.* to get drunk

ubbriacasse *p. subj. of* ubbriacare

uffizio duty

uh oh ! ah !

ultimo last; per — as the last, finally

umano human

umile humble

umilissimo most humble

umilmente humbly; m'inchino — your humble servant

umiltà humility

un, uno, una, un' a, an, one; per uno each, apiece; un non sɔ che something

unicamente only, merely

unico only, sole

unire to unite, combine

uɔmo man; *pl.* uɔmini

uɔvo egg; *pl.* uɔva

usare to use, bestow, show; — attenzioni to show courtesy

uscire to come out, go out; uscirne to get out of it; ɛ uscito di casa he has gone out

uso use; far — di to make use of, employ

utile *m.* profit, business, income

V

V. E. = Vɔstra Eccellɛnza

V. S. = Vɔstra Signoria

va' *impve. of* andare; — via go away

vada, vadano *pres. subj. of* **andare**

vado *pres. ind. of* **andare**

vagliono *pres. ind. of* **valere** [**valgono**]

val = **vale** *pres. ind. of* **valere**

valere to be worth; *refl.* **valersi di** to make use of, call on

vanità vanity, vainglory; **per — ** out of vanity

vanno *pres. ind. of* **andare**

vantaggio advantage, profit; **in — di** to the advantage of

vantarsi to boast

vanto boast

varie various

varrò *fut. of* **valere**

vaso vessel, jug

vattene go away

ve = **vi**

vedere to see, observe; **non poter — ** not to like, hate; *refl.* to be evident, be seen

vedremo, vedrete, vedrò *fut. of* **vedere**

vendere to sell

vendicare to avenge, revenge; *refl.* to take revenge, get even

vendicasse *p. subj. of* **vendicare**

vendichiamoci let us take revenge

Venere Venus

venga *pres. subj. of* **venire**

vengo, vengono *pres. ind. of* **venire**

venir(e) to come; **far — la**

rabbia to make angry; **— male** to feel ill; **non viεn a me** does not concern me; **viεne a scoprire** happens to find out; **mi ε venuto** there has come over me; **veniteci** come there

venti twenty

veramente truly, indeed

vergogna shame

vergognarsi to be ashamed

verissimo very true

verità truth, frankness; **in — ** indeed, in truth, as a matter of fact

vero true; **— o finto che fosse** real or otherwise; *n.* truth

verrà, verrete, verranno, verrò *fut. of* **venire**

versare to pour, pour out

vεrso toward; means, side; **per questo vεrso** in this way

vestire to dress

vezzo charm, attraction, flattery; **con — ** coyly, coquettishly

vezzoso charming

vi there, here

vi you, to you

via come ! off ! away !

vicino near

viεn = **viεne** *pres. ind. of* **venire**

vincano *pres. subj. of* **vincere**

vincere to vanquish, overcome, conquer

vin(o) wine

vinto conquered (*p. part. of* vincere)

visitare to visit

viso face

vita life

vittoria victory

vivanda dish, food

viva ! hurrah ! long live ! here's to

vivere to live; appena da — hardly enough to live on; *m.* life; il — del mondo the way of the world

vo' = voglio *pres. ind. of* volere

voglia, vogliate *pres. subj. of* volere

voglia desire

voglio, vogliono *pres. ind. of* volere; le voglio bene I am fond of her; vogliono (vuole) essere . . . it takes . . .

voi you; — altri you

volentieri willingly, gladly; vi vedrò — I'll be glad to see you; non gli parlo niente — I don't say anything to him unless I have to

voler(e) to want, wish, like, demand; — bene to like, be fond of; — dire to mean;

volerci, volervi to require, to take

volesse, volessi *p. subj. of* volere

volontà desire; avrei — d'aver I should like to have

volta time; qualche — sometimes; alle volte at times; più volte many times; poche volte rarely; quattro volte più four times as much, four to one

voltarsi to turn

vorrà, vorrò *fut. of* volere

vorrebbe, vorrebbero *cond. of* volere

vorrei, vorreste, vorresti *cond. of* volere

vossignoria Your Lordship

vostro your, yours

vuoi, vuol(e) *pres. ind. of* volere

Z

zecchino sequin (*gold coin used in Venice and elsewhere; in Florence it was equivalent to the florin, normally worth eleven lire*)

zitto silence, hush, be silent

zuppa soup; fare la — to make a sop, to " dunk "